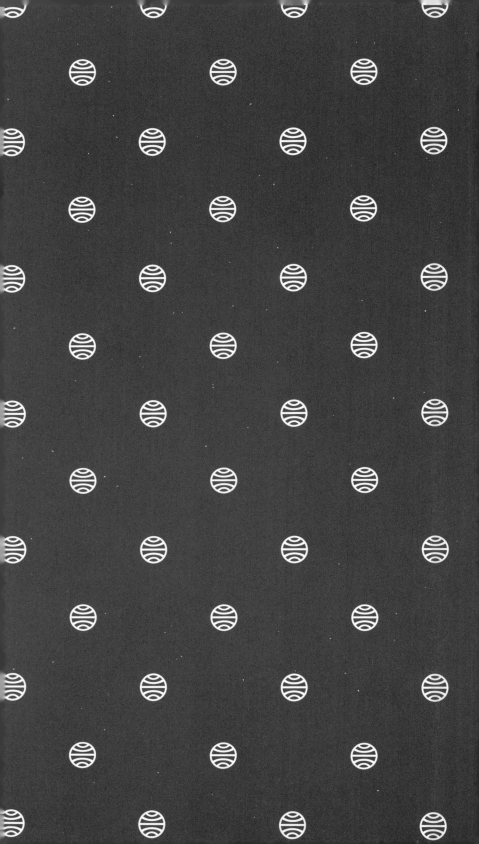

En el mar
hay cocodrilos

Fabio
Geda

# En el mar hay cocodrilos

## La historia de Enaiatollah Akbari

# Fabio Geda

Traducción
de Justo Navarro

Ediciones Destino
Colección Áncora y Delfín
Volumen 1202

Título original: *Nel mare ci sono i coccodrilli. Storia vera di Enaiatollah Akbari*

© 2010, Baldini Castoldi Dalai *editore*
   B. C. Dalai *editore*

© Ediciones Destino, S. A., 2011
Diagonal, 662-664. 08034 Barcelona

© de la traducción del italiano, Justo Navarro, 2011

© del mapa, Sara Chiantore

ISBN 13: 978-84-233-4411-6
ISBN 10: 84-233-4411-8

Editorial Planeta Colombiana S. A.
Calle 73 N.º 7-60, Bogotá

ISBN 13: 978-958-42-2631-0
ISBN 10: 958-42-2631-2

Primera reimpresión (Colombia): abril de 2011
Impresión y encuadernación: Colombo Andina de Impresos S. A.

A petición de Enaiatollah Akbari, se ha cambiado el nombre de algunas de las personas que aparecen en este libro.

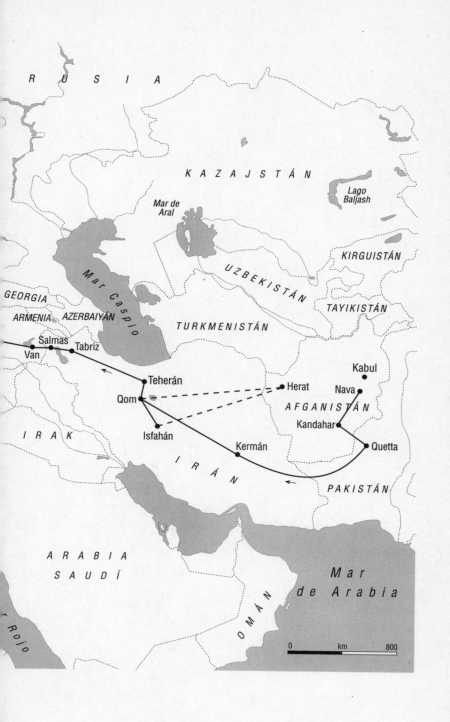

# Afganistán

Sí, la verdad es que no me esperaba que ella se fuera. No es que a los diez años, mientras te quedas dormido por la noche, una noche como tantas, ni más oscura, ni más estrellada, ni más silenciosa o maloliente que otras, con los cantos de los muecines, los mismos de siempre, los mismos que por todas partes llaman a la oración desde la punta de los minaretes, no es que a los diez años —y digo diez por decir, porque tampoco es que sepa con certeza cuándo nací, no hay registro civil ni nada por el estilo en la provincia de Ghazni— decía, no es que a los diez años, incluso si tu madre, antes de dormirte, te ha cogido la cabeza, la ha estrechado contra su pecho un rato largo, más largo que de costumbre, y ha dicho: Tres cosas no debes hacer jamás en la vida, Enai *jan,* por ningún motivo. La primera es tomar drogas. Algunas tienen un olor y un sabor bueno y te susurran al oído que sabrán hacerte sentir mejor de como nunca te sentirás sin ellas. No las creas. Prométeme que no lo harás.

Prometido.

La segunda es usar armas. Aunque alguien dañe tu memoria, tus recuerdos, tus afectos, insultando a Dios, a la tierra, a los hombres, prométeme que tu mano jamás empuñará una pistola, un cuchillo, una piedra, ni siquiera un cucharón de madera para el *qhorma palaw,* si ese cucharón de madera sirve para herir a un hombre. Promételo.

Prometido.

La tercera es robar. Lo que es tuyo te pertenece. Lo que no es tuyo, no. El dinero que te haga falta, lo ganarás trabajando, aunque el trabajo sea fatigoso. Y nunca engañarás a nadie, Enai *jan,* ¿verdad? Serás hospitalario y tolerante con todos. Prométeme que lo harás.

Prometido.

Sí. Incluso si tu madre dice cosas como éstas y luego, levantando la mirada hacia la ventana, empieza a hablar de sueños sin dejar de hacerte cosquillas en el cuello, de sueños como la luna, a cuya luz es posible comer, por la noche, y de deseos —que siempre hay que tener un deseo ante los ojos, como un burro una zanahoria, y es en el intento de satisfacer nuestros deseos donde encontramos la fuerza para volver a levantarnos, y que si un deseo, cualquiera que sea, se tiene, en alto, a un palmo de la frente, entonces vivir valdrá siempre la pena—, bueno, incluso si tu madre, mientras te ayuda a dormirte, dice todas esas cosas con una voz baja y extraña, que te calienta las manos como brasas, y llena el silencio de palabras, ella, que siempre ha sido tan parca y despierta para agarrarse a la vida, incluso en esa ocasión es difícil pensar que lo que te está diciendo es: *Khoda negahdar,* adiós.


Así.

Por la mañana, cuando me desperté, estiré los brazos para que el sueño saliera de mi cuerpo y palpé a la derecha para buscar confianza en el cuerpo de mamá, en el olor reconfortante de su piel, que para mí era como decir: despierta, levántate, etcétera. Pero bajo la palma no encontré nada y, entre los dedos, sólo la colcha de algodón blanco. Tiré de ella. Me volví, con los ojos de par en par. Me apoyé en los codos y llamé: Mamá. Pero no respondió, ni nadie respondió en su lugar. No estaba en el colchón, no estaba en la sala donde habíamos dormido, todavía caliente de los cuerpos que se agitaban en la penumbra, no estaba en la puerta, no estaba en la ventana mirando la calle y el tráfico de coches y carros y bicis, no hablaba con nadie, como había hecho tantas veces, aquellos tres días, junto a las jarras de agua o en el rincón de los fumadores.

De fuera llegaba el bullicio de Quetta, que es mucho, porque es mucho más ruidosa que mi aldea, esa pequeña franja de tierra, casas y torrentes de la que provengo, el lugar más bello del mundo (y no lo digo por presumir, sino porque es verdad), en la provincia de Ghazni.

Pequeño, grande.

No creí que fuera el tamaño de la ciudad lo que causaba aquel alboroto, pensé que se trataba de diferencias normales entre naciones, como el modo de condimentar la carne. Pensé que el ruido de Pakistán era distinto del de Afganistán, punto, y que cada nación tenía su propio ruido, que dependía de un montón de cosas, como de qué comía la gente y como se movía.

Mamá, llamé.

No hubo respuesta. Entonces salí de debajo de las mantas, me puse los zapatos, me froté los ojos y fui a buscar al jefe que mandaba en aquel lugar, a preguntar si la había visto, dado que, recién llegados, tres días antes, había dicho que nadie entraba o salía del *samavat* Qgazi sin que él se diera cuenta, algo que me había parecido extraño, pues suponía que también él necesitaría dormir de vez en cuando.

El sol cortaba en dos la entrada del *samavat* Qgazi. Allí les llaman también hoteles a los lugares así, pero no se parecen ni siquiera un poco a los hoteles que tenéis en mente, no, no. Más que un hotel, el *samavat* Qgazi era un almacén de cuerpos y almas; un depósito donde amontonarse en espera de ser empaquetados y expedidos a Irán o Afganistán, o quién sabe adónde; un lugar donde entrar en contacto con los traficantes de hombres.

En el *samavat* llevábamos tres días, sin salir nunca: yo, jugando entre los cojines; mamá, hablando con grupos de mujeres con niños, a veces con familias enteras, personas de las que parecía fiarse.

Recuerdo que durante todo el tiempo, allí, en Quetta, mamá tuvo la cara y el cuerpo cubiertos por el burka, el burka que, en casa, en Nava, con mi tía y sus amigas, no llevaba nunca. Yo ni siquiera sabía que tenía uno. En la frontera, la primera vez que la vi ponérselo, le pregunté por qué y me dijo, sonriendo: Es un juego, Enaiat, ven aquí debajo. Se levantó un pico del vestido. Me metí entre sus piernas bajo la tela azul, como si me zambullera en una piscina, y aguanté la respiración, pero sin nadar.

Cubriéndome los ojos con la mano, por la luz, me

acerqué a *kaka* Rahim, el jefe, y le pedí perdón por las molestias. Pregunté por mamá, si por casualidad la había visto salir, ya que nadie salía ni entraba sin que él lo supiera, ¿no?

*Kaka* Rahim estaba leyendo un periódico escrito en inglés, en rojo y en negro, sin imágenes, y fumaba un cigarro. Tenía las pestañas largas y las mejillas cubiertas de pelos finos como ciertos melocotones locos, y al lado del periódico, en la mesa de la entrada, un plato lleno de huesos de albaricoque, tres frutos de color naranja, gordos, sin morder todavía, y un puñado de bayas de morera.

Mamá lo había dicho: Hay montones de fruta en Quetta. Lo había dicho para animarme, porque a mí la fruta me gusta mucho. *Quetta,* en pastún, significa «plaza comercial fortificada», o algo así, un lugar donde se intercambian mercancías: objetos, vidas, etcétera. Quetta es la capital del Beluchistán: el huerto de Pakistán.

Sin volverse, *kaka* Rahim le echó el humo al sol y respondió: Sí, la he visto.

Sonreí. ¿Adónde ha ido, *kaka* Rahim? ¿Puedo saberlo?

Por ahí.

¿Por ahí? ¿Dónde?

Por ahí.

¿Cuándo vuelve?

No vuelve.

¿No vuelve?

No.

¿Cómo que no vuelve? *Kaka* Rahim, ¿qué quiere decir no vuelve?

No vuelve.

En ese momento me quedé sin palabras. Quizá hubiera otras, adecuadas, pero yo no las conocía. Permanecí callado, observando los pelos en las mejillas del jefe del *samavat,* pero sin verlos de verdad.

Fue él quien volvió a hablar. Ha dejado dicha una cosa, continuó *kaka* Rahim.

¿Qué?

*Khoda negahdar.*

¿Sólo eso?

No, también otra cosa.

¿Qué, *kaka* Rahim?

Dice que no hagas nunca las tres cosas que te ha dicho que no hagas.


A mi madre la llamaré «mamá». A mi hermano, «hermano». A mi hermana, «hermana». Al pueblo donde vivíamos no, no lo llamaré pueblo, sino Nava, que es su nombre y que significa «canal», porque está encajado al fondo de un valle, entre dos filas de montes. Por eso cuando mamá dijo: Prepárate que tenemos que irnos, una noche, al volver de jugar por la tarde en el campo, y le pregunté: ¿Dónde?, y ella respondió: Nos vamos de Afganistán, bueno, pensaba que atravesaríamos las montañas, y basta, porque para mí Afganistán estaba entre aquellas cimas, era aquellos torrentes, no sabía lo grande que era.

Cogimos una bolsa de ropa y la llenamos con una muda para mí, una para ella y algo de comer, pan y dátiles, y yo no cabía en mí con la emoción del viaje. Me hubiera gustado correr a decírselo a los demás, debía de haber sido usado como cárcel por los talibanes o por algún otro. No había nadie, y esto era una ventaja, pero yo me aburría, así que la tomé con una campana que colgaba de una torre. Cogí piedras e intenté pegarle a cien pasos de distancia. Le di por fin y el hombre corrió hacia mí, me agarró por la muñeca y me dijo que me estuviera quieto.

El segundo día vimos una rapaz dar vueltas alrededor del cuerpo de un burro. El burro estaba muerto (obvio), tenía las patas atrapadas entre dos rocas y para nosotros era completamente inútil porque no se podía comer. Recuerdo que estábamos cerca de Shajoi, que para los hazara es el lugar más desaconsejable de Afganistán. Contaban que, por esa zona, a los hazara de paso como nosotros los cogían los talibanes y los arrojaban vivos a un pozo profundísimo o se los echaban de comer a los perros vagabundos. Diecinueve hombres de mi pueblo habían desaparecido así, mientras se dirigían a Pakistán, y el hermano de uno de ellos había ido a buscarlo; fue él quien nos contó lo de los perros vagabundos. En cualquier caso, de su hermano sólo encontró la ropa, y dentro de la ropa los huesos, nada más.

Entre nosotros es así.

Hay un dicho entre los talibanes: a los tayikos Tayikistán, a los uzbecos Uzbekistán, a los hazara Goristán. Eso dicen. Y *Gor* significa tumba.

El tercer día encontramos un montón de personas que iban quién sabe adónde y parecían escapar de quién sabe qué: una hilera de carros cargados de hombres, mujeres, niños, gallinas, telas, toneles de agua y más cosas.

Cuando se acercaban camiones que iban en nuestra dirección, pedíamos a los conductores que nos llevaran, aunque fuera un rato, y si eran buena gente se paraban y nos dejaban subir, mientras que si eran antipáticos o estaban peleados consigo mismos o con el mundo, pasaban a nuestro lado acelerando, cubriéndonos de polvo. En cuanto oíamos el ruido de un motor a nuestra espalda, mamá y yo nos escondíamos corriendo en una zanja o entre los arbustos o detrás de las piedras, si había piedras lo bastante grandes. El hombre se quedaba inmóvil al borde de la carretera y hacía señales al que llegaba de que parase, como si hiciera autostop, pero no usaba sólo el pulgar, sino que incluso agitaba los brazos, para asegurarse de que lo vieran y no lo atropellaran. Si el camión se paraba y todo era seguro, entonces nos decía que saliéramos de la zanja y mamá y yo subíamos delante (dos veces fue así) o detrás, entre la mercancía (una vez fue así). La vez que nos subimos detrás, la caja del camión estaba llena de colchones. Dormí estupendamente.

Cuando llegamos a Kandahar, pasado el río Argandab, había contado tres mil cuatrocientas estrellas (un buen número, diría yo), entre las que por lo menos había veinte grandes como huesos de melocotón, y estaba muy cansado. Y no sólo eso. Había contado también el número de puentes que habían volado los talibanes con dinamita, y los coches quemados y los tanques negros abandonados por los militares. Pero me hubiera gustado volver a casa, a Nava, a jugar a *Buzul-bazi* con mis amigos.

En Kandahar dejé de contar las estrellas. Lo dejé

porque era la primera vez que iba a una ciudad tan grande y las luces de las casas y de las farolas me distraían demasiado, y también porque el cansancio me hacía perder la cuenta. Las calles de Kandahar estaban asfaltadas. Había coches, motos, bicicletas, tiendas y muchos sitios para beber el *chay* y hablar entre hombres, y edificios altos, incluso de más de tres pisos, con antenas en los tejados, y polvo, viento y polvo, y tanta gente en las aceras que en su casa, pensé, no debía de haberse quedado nadie.

Cuando llevábamos caminando un tiempo, el hombre se paró y nos dijo que esperáramos, que iba a hacer un trato. No nos dijo dónde, ni con quién. Me senté en una tapia a contar los coches que pasaban (los de colores) mientras mamá permanecía de pie, inmóvil, como si bajo el burka no hubiera nadie. Olía a frito. Una radio transmitía las noticias diciendo que en Bamiyán estaba desapareciendo un montón de gente y que habían encontrado un gran número de muertos en una casa. Pasó un anciano con los brazos elevados al cielo, gritando *khodaia khair,* pidiendo a Dios un poco de serenidad. Me entró hambre, pero no pedí comida. Me entró sed, pero no pedí agua.


El hombre volvió sonriendo, con otra persona. Es un buen día para vosotros, dijo. Éste es Shaukat y os llevará a Pakistán en su camión.

Mamá dijo: *Salaam, agha* Shaukat. Gracias.

Shaukat el pakistaní no respondió.

Iros ya, dijo el hombre. Pronto nos veremos.

Gracias por todo, le dijo mamá.

Lo he hecho con gusto.

Tranquiliza a mi hermana, dile que el viaje ha ido bien.

Lo haré. Buena suerte, pequeño Enaiat. *Ba omidi didar.*

Me cogió entre sus brazos y me besó en la frente. Sonreí como diciendo, vale, pronto nos veremos, seguid bien. Luego he pensado que el *buena suerte* y el *pronto nos veremos* no casaban demasiado: ¿por qué buena suerte si pronto íbamos a vernos?

El hombre se fue. Shaukat el pakistaní levantó una mano y nos hizo una señal para que lo siguiéramos. El camión estaba aparcado en un patio polvoriento rodeado por una tela metálica. En la caja, decenas y decenas de postes de madera. Mirándolos más de cerca me di cuenta de que eran postes de la luz.

¿Por qué transportas postes de la luz?

Shaukat el pakistaní no respondió.

Ahora, esto lo descubrí después. Que desde Pakistán venían a robar a Afganistán, a robar todo lo que se pudiera robar, que no era mucho. Los postes de la luz, por ejemplo. Venían con los camiones, los derribaban y los llevaban al otro lado de la frontera, para usarlos o revenderlos, no lo sé. Pero allí, en aquel momento, lo importante, para nosotros, era que teníamos un medio de transporte bastante bueno, más que bueno, excelente, porque los camiones pakistaníes sufrían menos controles en la frontera.

El viaje fue largo, no sabría deciros exactamente, horas y horas entre las montañas, entre sacudidas, piedras, sacudidas, tiendas de campaña, mercadillos y sacudidas. Nubes. En cierto momento —ya había anochecido— Shaukat el pakistaní bajó a comer; pero sólo él, porque era mejor que nosotros no bajáramos. Nunca se sabe, dijo. Nos trajo sobras de carne y nos pusimos otra vez en marcha, el silbido del viento a través de la ventanilla, el cristal bajado dos dedos para dejar entrar el aire, sí, pero el menos polvo posible. Observando toda aquella tierra que corría a nuestro lado, recuerdo, pensé en mi padre: también él había conducido un camión mucho tiempo.

Pero era distinto. A él lo obligaban.


A mi padre lo llamaré *padre*. Aunque ya no esté. Porque ya no está. Y os contaré su historia, aunque puedo contarla sólo porque me la han contado a mí, así que no juro nada. El hecho es que los pastunes lo obligaron —no sólo a él, a él y a muchos otros hombres hazara de nuestra provincia— a ir a Irán y volver con el camión, a recoger productos que luego vendían en sus comercios: mantas, tejidos o unos colchones delgados, de espuma, que servían para no sé qué. Y esto porque los habitantes de Irán son chiítas, como nosotros los hazara, mientras que los pastunes son sunitas —y entre hermanos de religión, como sabemos, hay mejor trato— y además porque ellos, los pastunes, no hablan persa mientras que nosotros lo entendemos un poco.

Para obligarlo, le dijeron a mi padre: Si no vas a Irán a recoger mercancía para nosotros, matamos a tu familia, si escapas con la mercancía, matamos a tu familia, si cuando llegas falta mercancía o está estropeada, matamos a tu familia, si te dejas engañar, matamos a tu familia. En resumen, si algo sale mal: matamos a tu familia. Lo que no es una buena manera de hacer negocios, digo yo.

Yo tenía seis años —más o menos— cuando mi padre murió.

Parece que, en las montañas, un grupo de bandidos asaltó su camión y lo mataron. Cuando los pastunes supieron que el camión de mi padre había sido asaltado y la mercancía robada, fueron a ver a mi familia y dijeron que mi padre había causado un perjuicio, que su mercancía se había perdido y que ahora nosotros tendríamos que pagarla.

Lo primero que hicieron fue buscar a mi tío, el hermano de mi padre. Le dijeron que ahora el responsable era él y que algo tenía que hacer para resarcirlos. Mi tío durante algún tiempo intentó arreglar las cosas, dividiendo los campos, por ejemplo, o vendiéndolos, pero sin conseguirlo. Y un día dijo que no sabía cómo resarcirlos y que, en cualquier caso, no era asunto suyo, porque él tenía su familia en la que pensar, cosa que además era verdad, en eso no puedo quitarle la razón.

Entonces los pastunes fueron a casa de mi madre, una noche, y dijeron que si no teníamos dinero, en vez del dinero se llevarían a mi hermano y a mí para utilizarnos como esclavos, algo que en todo el mundo está prohibido, incluso en Afganistán, pero, en fin, la situación era ésa. Desde entonces mi madre vivió con el miedo encima. Nos dijo a mi hermano y a mí que estuviéramos siempre fuera de casa, entre los otros niños, porque la noche que los pastunes estuvieron en nuestra casa, no estábamos y no nos habían visto la cara.

Así que estábamos siempre fuera, jugando, lo que no suponía ningún problema, y los pastunes con los que nos cruzábamos en las calles del pueblo pasaban a nuestro lado sin reconocernos. Excavamos además por la noche un hoyo cerca de las patatas, y cuando alguien llamaba a la puerta, antes de preguntar quién era, nos escondíamos. Pero a mí esta estrategia no me convencía demasiado: siempre le dije a mamá que cuando los pastunes vinieran a cogernos, de noche, seguro que no llamaban a la puerta.

Las cosas siguieron así hasta el día en que mamá decidió que tenía que irme porque había cumplido diez años —más o menos— y me estaba haciendo demasiado grande para esconderme, tanto que en el hoyo casi no cabía y corría el riesgo de aplastar a mi hermano.


Irme.


Yo, de Nava, no hubiera querido irme jamás. Mi pueblo estaba muy bien. No era tecnológico, no había energía eléctrica. Para alumbrar, usábamos lámparas de petróleo. Pero había manzanas. Yo veía nacer la fruta: las flores se abrían delante de mis ojos y se convertían en fruta; también aquí las flores se convierten en fruta, pero no se ve. Las estrellas. Muchísimas. La luna. Recuerdo que, para ahorrar petróleo, algunas noches comíamos al aire libre bajo la luna.

Mi casa era así: una habitación para todos, donde dormíamos, una habitación para las visitas, y un rincón para encender el fuego y guisar, que estaba a un nivel más bajo que el suelo, de modo que en invierno el calor del fuego lo caldeara gracias a un sistema de tuberías. En el segundo piso había un almacén para la comida de los animales. Fuera, una segunda cocina, para que en verano la casa no se calentara más de lo que ya estaba, y un patio grandísimo con manzanos, cerezos, granados, melocotoneros, albaricoqueros y moreras. Los muros eran muy espesos, de más de un metro de espesor, de barro. Comíamos yogur hecho por nosotros, parecido al yogur griego pero mucho, mucho más bueno. Teníamos una vaca y dos ovejas, y los campos donde cultivábamos el trigo, que luego llevábamos a moler al molino.

Eso era Nava, y no hubiera querido irme jamás.

Ni siquiera cuando los talibanes cerraron la escuela.


*¿Puedo hablarte de cuando los talibanes cerraron la escuela, Fabio?*

*Claro.*

*¿Te interesa?*

*Me interesa todo, Enaiatollah.*


No estaba yo muy atento aquella mañana. Escuchaba al maestro con un oído y con el otro seguía mis pensamientos sobre el torneo de *Buzul-bazi* que habíamos organizado para la tarde. A *Buzul-bazi* se juega con un hueso de la pata de las ovejas, después de cocidas, un hueso que se parece un poco a un dado, pero lleno de bultos, y se tira como un dado, si quieres, o como las canicas. Se juega en nuestro pueblo en cualquier estación, siempre, mientras que construir cometas es más una cosa de la primavera o el otoño, y el escondite un juego de invierno. Quedarnos quietos entre sacos de trigo o en medio de un montón de mantas o detrás de dos rocas, pegados a alguien, incluso es agradable en invierno, con el frío que hace.

El maestro hablaba de números y nos estaba enseñando a contar, cuando oímos una moto que daba vueltas alrededor de la escuela, como buscando la entrada, aunque no era muy difícil de encontrar. El motor se apagó. En la puerta apareció un talibán enorme, con esa barba larga que llevan los talibanes, y que nosotros los hazara no podemos llevar porque somos como los chinos o los japoneses, que tienen poco pelo en la cara; una vez un talibán me dio un guantazo por no llevar barba, pero yo era sólo un niño y, aunque fuera un pastún y no un hazara, no creo que hubiera tenido barba a esa edad.

El talibán, con el fusil, entró en clase y dijo en voz alta que había que cerrar la escuela, punto. El maestro preguntó por qué. Él respondió: Lo ha dicho mi jefe, tenéis que obedecer. Y se fue sin esperar respuesta o dar más explicaciones.

El maestro no añadió nada, permaneció inmóvil, esperó a oír el ruido del motor que se perdía a lo lejos y siguió explicando matemáticas en el punto exacto en que se había interrumpido, con la misma voz tranquila y la sonrisa tímida. Porque mi maestro era también una persona un poco tímida, jamás levantaba la voz y cuando gritaba parecía disgustarle a él más que a ti.

Al día siguiente el talibán volvió, el mismo, con la misma moto. Vio que estábamos en clase, con el maestro explicando la lección. Entró y preguntó al maestro: ¿Por qué no habéis cerrado la escuela?

Porque no hay motivo para hacerlo.

El motivo es que lo ha decidido el mulá Omar.

No es un buen motivo.

Estás blasfemando. El mulá Omar dice que hay que cerrar las escuelas hazara.

¿Y a qué escuela irán nuestros niños?

No irán. La escuela no es para los hazara.

Esta escuela, sí.

Esta escuela va contra la voluntad de Dios.

Esta escuela va contra la vuestra, contra vuestra voluntad.

Vosotros enseñáis cosas que Dios no quiere que se enseñen. Mentiras. Cosas que contradicen su palabra.

Enseñamos a los niños a ser buenas personas.

¿Qué significa ser buenas personas?

Sentémonos. Y lo hablamos.

No sirve de nada. Te lo digo yo. Ser una buena persona significa servir a Dios. Nosotros sabemos qué quiere Dios de los hombres y cómo servirle. Vosotros, no.

Aquí también enseñamos humildad.

El talibán pasó entre nosotros, respirando fuerte, como yo una vez que me metí una china en la nariz y no conseguía sacármela. Sin añadir nada más, salió y volvió a montarse en la moto.

La tercera mañana, después de aquel día, era una mañana de otoño, de esas con el sol todavía caliente que la primera nieve derretida en el viento no llega a enfriar, sólo a darle sabor; un día perfecto para volar cometas. Estábamos repitiendo una poesía en lengua hazaragi, preparándonos para el *sherjangi,* la batalla de los versos, cuando llegaron dos *jeeps* llenos de talibanes. Corrimos a las ventanas para verlos. Todos los niños de la escuela se asomaron, aunque tenían miedo, porque el miedo atrae, cuando no sabes reconocerlo.

Bajaron de los *jeeps* veinte, quizá treinta talibanes armados. Bajaron y el mismo hombre de los días anteriores entró en clase y le dijo al maestro: Te dijimos que cerraras la escuela. Tú no has escuchado. Ahora seremos nosotros los que vamos a enseñar algo.

El edificio escolar era amplio y nosotros éramos muchos, quizá más de doscientos. A construirlo, años atrás, cada padre le había dedicado varias jornadas de trabajo, cada uno según sus posibilidades, para levantar el tejado o cerrar las ventanas de modo que el viento no entrara y pudiéramos dar clase también en invierno, aunque en realidad contra el viento nunca se había conseguido gran cosa: siempre hacía jirones los toldos que usábamos. La escuela tenía varias clases, e incluso había un director.

Los talibanes hicieron salir a todos, niños y adultos. Nos ordenaron ponernos en círculo, en el patio, los niños delante, porque éramos más bajos, y los adultos detrás. Después, en el centro del círculo, hicieron que se colocaran el maestro y el director. El director apretaba la tela de la chaqueta como para romperla, y lloraba y se volvía a derecha e izquierda en busca de algo que no encontraba. El maestro, por el contrario, estaba callado, como acostumbraba, los brazos a lo largo de los costados y los ojos abiertos, pero vueltos hacia sí mismo, él, que, recuerdo, tenía unos hermosos ojos que difundían el bien a su alrededor.

*Ba omidi didar,* niños, dijo. Adiós.

Les dispararon. Delante de todos.

Desde aquel día la escuela estuvo cerrada, pero la vida, sin escuela, es como la ceniza.


*Esto me interesa mucho, Fabio.*

*¿Qué?*

*El hecho de decir que afganos y talibanes son distintos. Quiero que la gente lo sepa. ¿Sabes de cuántas nacionalidades eran los que mataron a mi maestro?*

*No. ¿De cuántas?*

*Llegaron veinte en los jeeps, ¿no? Bueno, no serían de veinte nacionalidades distintas, pero casi. Algunos ni siquiera podían comunicarse entre ellos. Pakistán, Senegal, Marruecos, Egipto. Muchos piensan que los talibanes son afganos, Fabio, pero no es así. Hay también afganos, entre ellos, obvio, pero no sólo: son ignorantes, ignorantes de todo el mundo los que impiden a los niños estudiar porque temen que puedan comprender que no hacen lo que hacen en nombre de Dios, sino por sus intereses.*

*Lo diremos fuerte y claro, Enaiat. ¿Dónde estábamos?*

*En Kandahar.*

*Ah, sí. Kandahar.*

Volvemos a empezar.

Salimos de Kandahar por la mañana —¿lo he dicho ya?— en el camión cargado de postes de la luz, y llegamos a Quetta después de pasar por Peshawar. Pero nosotros, mamá y yo, no nos bajamos nunca. En Quetta buscamos un sitio para dormir, uno de esos sitios que llaman *samavat* o *mosafir khama,* la casa de los huéspedes, con grandes dormitorios donde los viajeros de paso hacia Irán descansan y buscan guías para reemprender el camino. Durante tres días no salimos. Mamá hablaba con la gente para intentar organizar su viaje de regreso, aunque yo no lo sabía. No fue difícil. Volver a Afganistán era mucho más fácil que salir.

Yo, mientras, estaba allí y vagabundeaba por aquel lugar desconocido. Luego, una noche, antes de dormir, ella me cogió la cabeza y la estrechó contra sí, fuerte, me dijo tres cosas que no debía hacer, dijo que debería desear algo, con todo mi ser. A la mañana siguiente ya no estaba en el colchón conmigo y cuando fui a preguntar a *kaka* Rahim, el jefe del *samavat* Qgazi, si sabía dónde estaba, me dijo que sí, que había vuelto a casa con mi hermano y mi hermana. Entonces me senté en un rincón, entre dos sillas, pero no en las sillas, en el suelo, sobre los talones, y pensé que tenía que pensar, y que pensar que hay que pensar, como decía siempre mi maestro, es ya algo grande. Pero no había pensamientos dentro de mi cabeza, sólo una luz que sepultaba todo y no me dejaba ver nada, como cuando miras el sol.

Cuando la luz se apagó, se encendieron las farolas de las calles.

# Pakistán

*Khasta kofta* significa «cansado como una albóndiga», porque cuando las mujeres hacen albóndigas, en nuestra tierra, las golpean y golpean y golpean, mucho tiempo, en el hueco de la mano. Y así era como me sentía, como si un gigante me hubiera cogido en sus manos para hacer de mí una albóndiga: me dolían la cabeza, los brazos y en algún punto que no sabría decir, entre los pulmones y el estómago.

En Quetta había muchísimos hazara, los había visto ir y venir en el *samavat* los días anteriores, cuando todavía estaba mamá, que se entretenía hablando con ellos mucho rato, como si tuviera grandes secretos que confiarles. Intenté acercarme, pero me di cuenta de que aquellos hazara eran distintos de los otros que yo había conocido, y que incluso las palabras más simples de mi tierra, en su boca, se transformaban en intrincadas palabras extranjeras a causa del acento. No conseguía entenderlos ni hacerme entender, así que no tardaban en dejar de prestarme atención y volver a sus ocupaciones, que, por lo que parece, eran más urgentes que mi condición de abandonado. No podía pedir información o intercambiar alguna palabra simpática, alguna broma que les despertara el deseo de echarme una mano, qué sé yo, llevarme a casa, ofrecerme una taza de yogur, una rodaja de pepino; y si has llegado hace poco (y que has llegado hace poco se revela en el instante mismo en que abres la boca para preguntar algo), si no sabes dónde estás ni cómo funciona el lugar, si no sabes cómo hay que comportarse, bueno, puede suceder que alguno se aproveche de ti.

Una cosa que quería evitar (una cosa entre otras, tipo morir) era precisamente que alguien se aprovechara de mí.

Salí de entre los cojines en los que me había refugiado y fui a buscar a *kaka* Rahim, el encargado del *samavat* Qgazi, con quien sí conseguía comunicarme, quizá porque estaba acostumbrado a recibir a los clientes y, por lo tanto, sabía muchas lenguas. Le pregunté si podía trabajar allí. Estaba dispuesto a hacer cualquier cosa, desde fregar el suelo a limpiar zapatos, cualquier cosa que hubiera que hacer, y eso porque, para decirlo claro, tenía mucho miedo de lanzarme a la calle. Quién sabe lo que había afuera.

Me escuchó como si no me oyera, y luego dijo: Sólo por hoy.

¿Sólo por hoy? ¿Y mañana?

Mañana tendrás que buscarte otro sitio.

Sólo un día. Miré sus pestañas largas, el pelo de sus mejillas, el cigarro entre los dientes que dejaba caer las cenizas al suelo, sobre las chanclas y el *pirhan* blanco. Pensé que podía saltarle encima, colgarme de su chaqueta y lloriquear hasta que los pulmones estallaran (mis pulmones) o los oídos (los suyos), pero creo que hice bien en no hacerlo. Lo bendije varias veces por su generosidad y le pregunté si podía coger una patata y una cebolla en la cocina: dijo que sí y yo respondí *tashakor*, que significa «gracias».

Dormí con las rodillas apretadas contra el pecho.

Dormí con el cuerpo, pero en sueños estaba despierto. Y caminaba por el desierto.


Por la mañana ya me levanté preocupado porque tenía que dejar el *samavat* y salir a la calle, esas calles que, vistas desde la puerta principal o desde la ventana de los baños del primer piso, no me habían gustado nada. Había tantas motos y coches que el aire era irrespirable, y las cloacas no corrían bajo el cemento, ocultas a los ojos y la nariz, sino entre la calzada y la acera, a pocos metros de distancia de la puerta del *samavat*.

Fui a beber agua y a enjuagarme la cara para encontrar el valor de lanzarme a la pelea. Fui a despedirme de *kaka* Rahim.

Me miró sin mirarme. ¿Dónde vas?, dijo.

Me voy, *kaka* Rahim.

¿Dónde?

Me encogí de hombros. Dije: No lo sé. No conozco la ciudad. A decir verdad, ni siquiera sé la diferencia entre echar a derecha o a izquierda, una vez que salga por la puerta. Así que miraré lo más allá que pueda, *kaka* Rahim, al fondo de la calle, y elegiré el paisaje mejor.

No hay paisajes en Quetta. Sólo casas.

Lo imaginaba, *kaka* Rahim.

He cambiado de idea.

¿Sobre qué?

No puedo darte trabajo aquí y pagarte, pagarte con dinero, quiero decir. Sois demasiados. No puedo darles trabajo a todos. Pero tú eres educado. Así que puedes quedarte, si quieres, a dormir y comer, hasta que encuentres un sitio donde trabajar de verdad, trabajar, ganar, etcétera. Pero hasta ese momento tendrás que dedicarte a mí desde que te levantes hasta que te acuestes, en cualquier cosa que te mande hacer. ¿Lo has entendido?

Sonreí con todos los dientes que logré encontrar en la boca. Que tu vida sea larga como la de los árboles, *kaka* Rahim.

*Khoda kana,* dijo él.

Pero, aunque me sentía feliz, feliz y aliviado, no puedo fingir que todo se volvió de pronto estupendo, y no contar que el primer día de trabajo en el *samavat* Qgazzi de Quetta, sí, que el primer día de trabajo fue un infierno: inmediatamente me pidieron que hiciera un montón de cosas (primero) y cuando me pedían que las hiciera me lo pedían sin explicarme cómo debía hacerlas, como si yo lo supiera ya todo, mientras que yo no sabía nada, y sobre todo no sabía hacer las cosas que me pedían (segundo), y luego estaba el hecho de que yo no conocía a nadie (tercero) y no podía charlar o bromear con quien no conocía porque tenía miedo de que los chistes o las bromas fueran malentendidos, dado que hablaba fatal su lengua (cuarto), y además (quinto) que nunca se acababa de trabajar, hasta el punto de que me pregunté qué había pasado con la luna, que no la veía salir, o si acaso allí en Quetta sólo había una luna que aparecía de vez en cuando, según la voluntad del patrón, para que la gente trabajara más.

Cuando me fui a dormir, al final del día, estaba mucho más que *khasta kofta:* era pienso para las gallinas.

Me senté en el colchón antes de acostarme y me di cuenta de lo feo que era el *samavat:* las paredes desconchadas, el mal olor, el polvo por todas partes y, entre el polvo, los piojos. Comparé aquel lugar con mi casa, pero sólo un instante. Antes de asustarme demasiado, con las manos disolví la comparación en el aire, como hacía un amigo mío, mayor, en Nava, cuando fumaba a escondidas las raíces de las plantas, para evitar que el olor le impregnara la ropa.

Enaiat, Enaiat, ven aquí enseguida.

¿Qué pasa?

Coge el cubo, Enaiat. La cloaca de la calle se ha atrancado otra vez. El cubo y el trapo.

¿Cojo también el bastón, *kaka* Rahim?

El cubo y el trapo, Enaiat. El palo lo tengo yo. Corre.

Corro.

Enaiat, necesito ayuda.

No puedo, *kaka* Zaman. La cloaca se ha atrancado. Está entrando por la puerta.

¿Otra vez?

Otra vez.

*Lanat ba shaiton.* Tenemos siempre los pies en la mierda. De todas maneras, la cocina no para nunca y se han acabado las cebollas y las sandías. Tienes que ir al mercado a por ellas, Enaiat *jan*. En cuanto puedas. ¿Qué es ese olor?

¿Lo hueles, *kaka* Zaman?

¿Qué si lo huelo? Es terrible.

Es el olor de la cloaca. Ya llega hasta aquí.

Corre, Enaiat. Rahim *agha* te estará esperando con la nariz tapada.

Enaiat, ¿dónde estás?

Aquí, *kaka* Rahim. Cubo y trapo.

Los trapos nuevos, no, idiota. Los que están tendidos en la parte de atrás.

Corro, *kaka* Rahim.

Enaiat, ¿qué pasa?

La cloaca, Laleh. Las aguas negras están entrando en el *samavat*.

Así que eso era esta peste.

Perdona, pero tengo que ir a coger los trapos.

Luego ven aquí, Enaiat, tengo que encargarte una cosa.

Enaiat...

Sí, voy, *kaka* Rahim.

Corrí a coger los trapos viejos colgados de un cordel, al fondo del patio, y los palos. Con los trapos teníamos que tapar la rendija entre la puerta y la acera, pero los palos, largos, de madera, no tenía ni idea de para qué servían. Lo descubrí cuando *kaka* Rahim me encargó meter los pies en las aguas fecales para ayudarlo a sacar todo lo que había atascado la cloaca. Yo me negué, porque hay cosas que no estoy dispuesto a hacer. Jamás. Él se puso a gritar, dijo que si lo hacía él, que era un adulto y administraba un *samavat* importante como el *samavat* Qgazi, también podía hacerlo yo, que era un niño pequeño, y que si estaba allí era sólo gracias a él. Respondí que era verdad que yo era pequeño, y que de hecho en las aguas fecales flotaban porquerías más grandes que yo. Por fin llegaron otros hombres a ayudar a *kaka* Rahim. Pero en los días siguientes evité encontrármelo.

En la cocina teníamos un cuarto privado. Éramos cinco, y entre los cinco había un señor mayor que me gustó enseguida: se llamaba Zaman. Era amable y me daba buenos consejos para que no me mataran y para trabajar de manera que *kaka* Rahim estuviera contento.

En el *samavat* había habitaciones individuales para quien tenía más dinero, habitaciones grandes para las familias con niños, donde estuve con mamá, y el dormitorio de los hombres. Yo no entré nunca en las habitaciones individuales, ni siquiera más adelante. Las limpiaban otros. Entraban y salían personas que hablaban lenguas que yo no distinguía. Humo. Ruidos. Pero a mí no me interesaban esos tejemanejes y me mantenía al margen de cualquier problema.

Cuando vieron que no era de esos que arman líos —no continuamente, claro— empecé a llevar el *chay* a las tiendas. Las primeras veces tenía miedo de equivocarme o de que me engañaran, después aprendí, y se convirtió en lo mejor que podía haberme pasado. Había un sitio que me gustaba especialmente: una tienda de sandalias adonde todas las mañana, hacia las diez, llevaba el *shir chay,* el té con leche, con el *naan tandoori* preparado expresamente para *osta sahib,* el propietario. La tienda estaba cerca de una escuela.

Entraba, dejaba la bandeja sobre la mesita, saludaba a *osta sahib* como *kaka* Rahim me había enseñado a saludar, cogía el dinero contándolo de prisa, sin dar la impresión de que comprobaba las monedas, para que *osta sahib* no pensara que no me fiaba de él (fue *kaka* Rahim el que me dijo que lo hiciera así, e incluso lo había ensayado), después saludaba de nuevo, salía de la tienda y en vez de volver inmediatamente al *samavat* rodeaba la manzana, hasta el pie del muro del patio de la escuela, a esperar el recreo.


Me gustaba cuando, después del timbre del recreo, las puertas se abrían de par en par y los niños salían gritando y corriendo a jugar en el patio. Mientras ellos jugaban, yo gritaba dentro de mí y jugaba llamando a mis amigos de Nava; los llamaba por su nombre, le daba una patada a la pelota, discutía diciendo que alguno había roto el hilo de la cometa con alguna maniobra prohibida o que el hueso de la cabra para el *Buzul-bazi* estaba hirviendo en la olla y que había perdido el viejo, así que esa vez no podía participar en el torneo, pero que no era justo que me quedara fuera demasiado tiempo. Andaba despacio a propósito, para oírlos más rato. Pensaba que si *kaka* Rahim me veía andar no se enfadaría tanto como si me veía parado.

Algunas mañanas llevaba el *chay* a la tienda más temprano y veía entrar a los niños en la escuela, limpios, en orden y peinados. Entonces me fastidiaban.

Volvía la cabeza. No podía mirarlos. Pero luego, a la hora del recreo, me entraban ganas de oírlos.

*¿Sabes que nunca lo había pensado, Enaiat?*

*¿Qué?*

*Que oír sea muy distinto de mirar. Es menos doloroso. ¿Es así? Permite jugar con la fantasía, transformar la realidad.*

*Sí. O, por los menos, para mí lo era.*

*El balcón de la habitación donde trabajo da a un colegio. A veces, durante una pausa, mientras tomo café, miro a los padres que, a las cuatro, van a recoger a sus hijos. Las clases que salen con prisa y ordenadamente al patio cuando suena el timbre, los niños que se paran dóciles a pocos pasos de la cancela y se ponen de puntillas para otear a la multitud adulta, en busca de la mirada afectuosa de los padres, y ellos, los padres, que, cuando los ven, agitan los brazos, abren las manos, los ojos, la boca, abren el pecho. Todos respiran durante ese encuentro, también los árboles y los edificios. Respira la ciudad entera. Luego las preguntas sobre la jornada, los deberes que hay que hacer, la piscina, las mamás que cierran las cremalleras de las cazadoras para proteger a sus hijos del frío, que ajustan los gorros para que cubran la frente y las orejas. Y, luego, todos al coche, en grupos de amigos. A casa.*

*Yo también los he visto, sí.*

*¿Ahora puedes mirarlos, Enaiat?*

Trajes. Yo tenía dos *pirhan*. Cuando lavaba uno, me ponía el otro y tendía el mojado para que se secara.

Una vez seco lo metía en una bolsa de tela, en un rincón, cerca del colchón. Y cada noche controlaba si seguía allí.

Con el paso de los días, de las semanas, de los meses, *kaka* Rahim se dio cuenta de que yo valía (y no lo digo por presumir, no es eso), que valía para distribuir el *chay,* que no tiraba los vasos o el azucarero de terracota, que no hacía tonterías como olvidar la bandeja en la tienda a la que había ido y, lo principal, que siempre volvía con todo el dinero. E incluso con algo de más.

Sí, porque había algunos comerciantes amables, de las tiendas a las que iba siempre, todas las mañanas, hacia las diez, y todas las tardes, hacia las tres o las cuatro, que me daban una propina que incluso podría haberme quedado, pero entonces yo no sabía si eso estaba bien, y la entregaba; tampoco es que hubiera manejado mucho dinero antes, así que, en la duda, le llevaba también la propina a *kaka* Rahim. Pero era mejor así. Si luego me equivocaba en las cuentas y cogía más dinero de lo debido, a lo mejor resultaba que *kaka* Rahim perdía la confianza, y no quería quedarme sin una habitación donde dormir y un poco de agua para lavarme los dientes.


Pero.

Un día de viento y arena, uno de esos propietarios de comercios, ese *osta sahib* del que ya he hablado, uno que vendía sandalias, un *sandal* o *chaplai,* como yo lo llamaba, a quien le caía simpático, me indicó con un gesto que me sentara un momento con él y tomara también yo un poco de *chay*, algo de lo que yo no estaba nada seguro que pudiera hacer, pero, dado que era él quien me lo pedía, pensé que quizá fuera una descortesía negarme. Me senté en el suelo, sobre una alfombra, con las piernas cruzadas.

¿Cuántos años tienes, Enaiat?

No lo sé.

Más o menos.

Once.

Llevas ya algún tiempo trabajando en el *samavat,* ¿verdad, Enaiat?

Casi seis meses, *osta sahib.*

Seis meses. Levantó los ojos al cielo, para pensar. Nadie se ha quedado tanto tiempo con Rahim, dijo. Eso significa que está satisfecho.

*Kaka* Rahim nunca dice que esté contento conmigo.

*Affarin,* dijo. Si no se queja, Enaiat, significa que está mucho más que contento.

Le creo, *osta sahib.*

Ahora te hago una pregunta. Y tú debes decirme la verdad. ¿De acuerdo?

Dije que sí con la cabeza.

¿Estás contento con tu trabajo en el *samavat?*

¿Si estoy contento con el trabajo que me ofreció *kaka* Rahim? Claro que estoy contento.

Negó con la cabeza. No, no he preguntado si estás contento de que Rahim te haya dado trabajo. Claro que lo estás. Gracias a él tienes una cama, un plato de *bring* por la noche, una taza de yogur en el almuerzo. Te he preguntado si ese trabajo te gusta. Si nunca has pensado en cambiar.

¿Para hacer otro trabajo?

Sí.

¿Cuál?

Vendedor, por ejemplo.

¿Vendedor de qué?

De lo que sea.

¿Como esos chicos con cajas de madera del bazar, *osta sahib*? ¿Cómo ellos?

Como ellos.

Lo pensé, sí, el primer día. Pero apenas conocía la lengua. Ahora podría, pero no sabría cómo adquirir la mercancía.

¿No has guardado dinero?

¿Qué dinero?

El que te paga Rahim por trabajar en el *samavat*. ¿Lo mandas a casa o te lo gastas?

*Osta sahib,* no recibo dinero por trabajar en el *samavat*. Sólo la posibilidad de vivir allí.

¿De verdad?

Que me muera en este instante.

¿Ese tacaño de Rahim no te paga ni siquiera media rupia?

No.

*Lanat ba shaiton.* Escucha, te propongo una cosa. Trabajas en el *samavat* sólo por la cama y la comida; yo, en vez de eso, si trabajas para mí, te daré dinero. Yo te compro la mercancía, tú la vendes y al final repartimos las ganancias. Si ganas veinte rupias, yo me quedo con quince y tú con cinco. Dinero tuyo. ¿Qué me dices? Podrás hacer lo que quieras.

Pero *kaka* Rahim no me permitirá dormir más en el *samavat*.

Eso no es un problema. Hay muchos sitios en la ciudad donde puedes ir a dormir.

¿De verdad?

De verdad.

Me quedé un momento en silencio, luego le pregunté a *osta sahib* si podía levantarme y dar una vuelta a la manzana para pensarlo.

Era la hora del recreo, y quizá los gritos de los niños me sugirieran la respuesta justa. Mi duda era que yo era pequeño, pequeñísimo, como una cucharilla de madera. A cualquiera le bastaría un soplo para robármelo todo o aprovecharse de mí. Pero por Quetta rondaban muchos niños que trabajaban en la calle, que compraban la mercancía al por mayor para revenderla después, así que no era ninguna idea rara. Y luego estaba el hecho de tener mi dinero, lo que no estaba nada mal. Sí, no sabía dónde ir a dormir, pero *osta sahib* me había dicho que eso no era ningún problema, y reflexioné sobre el hecho de que también todos aquellos niños debían de dormir en algún sitio, y para lo demás —para comer, por ejemplo— emplearía el dinero que ganara. Para lavarme estaban las mezquitas.

Así, aquella mañana, sin ni siquiera terminar la vuelta a la manzana, acepté la propuesta de *osta sahib*. Volví al *samavat* y le dije a *kaka* Rahim que me iba y le expliqué por qué. Temía que se enfadara, pero en vez de eso me dijo que hacía bien, que ya encontraría, si le hacía falta, a cualquier chiquillo. Y añadió que, si necesitaba ayuda, podía ir a hablar con él. Lo agradecí mucho.

Con *osta sahib* fui a las afueras, a Sar Ab (dos palabras que significan «cabeza» y «agua»), a comprar la mercancía.

Sar Ab es una gran plaza con muchísimos coches y furgonetas comidos por la herrumbre, aparcados allí mansamente, con los dueños al lado y el maletero abierto, y cada uno vende cosas distintas. Dimos algunas vueltas para elegir qué comprar, fijándonos en qué mayorista era el más conveniente y cuál tenía la mercancía más interesante. *Osta sahib* negoció todo, paquete por paquete. Realmente era un comerciante nato. Compró bollos y dulces envasados, chicle, calcetines y encendedores. Lo metimos todo en una caja de cartón, atada con un cordel para poder llevarla en bandolera, y volvimos. *Osta sahib* me hizo algunas recomendaciones. Me dijo a quién debía hablarle y a quién no debía hablarle, a dónde podía ir a vender y adónde no, qué hacer si encontraba policías, etcétera. De todas las recomendaciones, la más importante era: que no te roben.

Nos despedimos y *osta sahib* me deseó buena suerte con una mano hacia el cielo. Pensé que, o existía en algún sitio una reserva de distintas buenas suertes para según las ocasiones, o era la misma buena suerte que me había deseado el viejo amigo de mi padre después de acompañarnos a Kandahar. Me volví de golpe y corrí calle abajo pensando que, si corría a la velocidad suficiente, quizá aquella buena suerte la cogiera otro, porque para mí era mejor evitarla.

Por no perder la costumbre, visto que era casi la hora del recreo de la tarde, alargué el trayecto hasta la escuela para recargar los oídos con el sonido de los balones contra la pared y con las voces de los niños que se perseguían en el patio. Me senté en una tapia. Cuando los maestros los llamaron a clase, me levanté y me dirigí hacia el bazar pegándome a las casas para estar protegido por ese lado y apretando entre los brazos la caja de cartón por el miedo inmenso que tenía a que me robaran algo.

El bazar al que *osta sahib* me había dicho que fuera se llamaba Liaqat Bazar y estaba en el centro.

La calle principal del Liaqat Bazar es Shar Liaqat, y el color de esa calle es el conjunto de todos los colores de los paneles publicitarios apiñados uno sobre otro, verdes, rojos, blancos, amarillos, amarillos con el rótulo Call Point Pco y el símbolo del teléfono, azules con el rótulo Rizwan Jewellers, etcétera, y debajo de los rótulos en inglés los rótulos en árabe, y debajo de los rótulos en árabe el polvo contra el que se refracta el sol, y entre el polvo contra el que se refracta el sol un hormiguero de gente, bicicletas, coches, voces, timbres, humos, olores.

El primer día, para variar, fue pésimo, casi peor que el primer día en el *samavat* Qgazi. Para levantarse como si nada, olvidarlo encima de una piedra y no volver a encontrarse jamás con ese día. Me parece que no corrí lo suficientemente rápido y la suerte me golpeó.

Era de noche y aún no había vendido nada. Luego, o yo era incapaz de vender, o a nadie le interesaban mis cosas, o todos se habían abastecido ya de bollos, calcetines y encendedores, o para colocar la mercancía había un truco que yo desconocía. En ese punto, desanimado, me apoyé en un poste de la luz a mirar qué transmitía una televisión expuesta en el escaparate de una tienda de electrodomésticos. Embobado ante no sé qué programa —un noticiario, una telenovela, un documental sobre animales— no me di cuenta de nada, lo juro, sólo vi una mano deslizarse sobre la caja de cartón, coger un paquete de chicles y volar.

Me volví. Un grupo de chiquillos pastunes —seis o siete, que hablaban pastún, sí, pero que también podían ser baluchis— estaban parados en mitad de la calle. Me miraban, reían. Uno de ellos, que parecía el jefe, jugueteaba con un paquete de chicles —*mi* paquete de chicles—, manteniéndolo en equilibrio sobre el dorso de la mano.

Empezamos a discutir, yo en mi lengua, ellos en la suya.

Me apetecía un chicle, dijo el jefe de los baluchis.

Devuélvemelo, dije yo.

Ven a cogerlo. Hizo un gesto con la mano.

¿Ir a cogerlo? Quisiera destacar que yo era mucho más pequeño que ellos y mucho menos numeroso. Tenían todo el aire de ser unos prepotentes, gente de quien uno no puede fiarse, y si me hubiera lanzado contra el jefe no dudaría en apostar que me habría encontrado con los huesos rotos y toda mi mercancía dentro de sus cajas. ¿Cómo le explicaba a *osta sahib* que me había dejado robar todo el primer día, sin más? Así que, no por miedo, no, sino porque soy de los que piensan en lo importante, casi había decidido que era mejor perder un paquete de chicles que los dientes y todo lo demás, y estaba a punto de irme cuando.

Devuélveselo.

Devolvedle el paquete.

Junto a mí, así, de la nada, se habían materializado otros chiquillos hazara. Primero uno, luego dos, luego tres, parecían no acabar nunca, algunos más pequeños que yo. Bajaban de los tejados, salían de los callejones. Unos minutos después, bueno, nosotros éramos más numerosos que ellos. Viendo cómo se ponían las cosas, algunos baluchis salieron corriendo. El jefe se quedó con dos fieles, uno a la derecha y otro a la izquierda, pero un paso atrás; tenían miedo. Me sentí un leopardo de las nieves. Con aquel pequeño ejército a las espaldas me acerqué al jefe de los baluchis para coger mi paquete de chicles, pero él, de repente, echó a correr. O al menos lo intentó. Lo agarré. Rodamos por tierra, la mercancía y todo. Sentía sus músculos bajo la tela del *pirhan,* me dio dos puñetazos. En el lío conseguí coger de sus cosas un par de calcetines, luego me atizó una patada en el estómago y me quedé sin respiración. Recogió su caja y huyó. Los chicles se los había quedado. Pero yo había cogido los calcetines, que valían más.

Uno de los hazara me ayudó a levantarme.

No hubiera rechazado en absoluto vuestra ayuda, dije. Si hubierais intervenido.

Sí, pero la próxima vez habría sido peor. Así, en cambio, has demostrado que sabes defenderte solo.

¿Tú crees?

Sí.

Le estreché la mano. De todas maneras, gracias. Me llamo Enaiatollah.

Sufi.

Así que hice amistad con los chiquillos hazara, y con uno de ellos en particular, Gioma, al que llamaban Sufi, porque se mantenía aparte, tranquilo y silencioso como un monje, aunque algunas veces, bueno, era el que creaba más problemas de todos.

Por ejemplo, mientras andábamos por la calle, una noche, se acercó a un tipo mugriento y maloliente, una especie de vagabundo que dormía en el suelo, y dejó caer un puñado de chinas dentro de su cuenco de metal para las limosnas. El pobrecillo, que estaba medio dormido, se levantó inmediatamente para ver quién le había soltado todo aquel dinero, y apostaría que ya se había hecho la ilusión de ser rico y de pagarse una comida en el mejor restaurante de la ciudad o de comprarle quién sabe cuánto opio a su proveedor. Y, quizá por eso, cuando se dio cuenta de que eran sólo chinas y vio cómo nos reíamos detrás del muro de una mezquita, empezó a perseguirnos para freírnos en el aceite de las patatas que nosotros llamamos *chips,* como los ingleses. Pero escapamos a toda velocidad, y él estaba demasiado echado a perder para ir detrás de nosotros.

O, en otra ocasión, Sufi vio una moto atada a un poste y se montó. Pero no para robarla. Sólo por montarse y ver cómo era conducir; tener una moto siempre había sido su sueño. Pero, en cuanto empuñó el acelerador y apretó la manilla del embrague, quién sabe por qué, la moto arrancó. Saltó hacia adelante, alrededor del poste al que estaba atada, y lanzó a Sufi contra un puesto de fruta. Aquella vez, sin embargo, Sufi se hizo daño en la espalda y en una pierna, y durante algún tiempo le costó trabajo arrodillarse para rezar.

Todos los días nos reuníamos en el mercado con los otros chicos hazara, y a la hora de la comida juntábamos el dinero para un poco de yogur griego, cebollinos, algunas piezas de *naan tandoori,* o sea, de pan plano, redondo, cocido en un horno de arcilla, y alguna fruta, o verdura, lo que hubiera.

En fin.

El trabajo en el Liaqat Bazar seguía adelante porque no tenía otra cosa mejor —y nunca hubiera vuelto al *samavat* Qgazi porque, de haberlo hecho, habría perdido a Sufi y los otros amigos—, pero no me gustaba. No era como tener una tienda en la que las personas entran y te piden las cosas si las quieren y tú sólo tienes que estar allí para recibirlas y ser amable, no, eras tú el que tenía que acercarse, ponerse delante de ellos, o a su lado, mientras hacían o pensaban en otra cosa, y decirles compra, compra, por favor. Tenías que molestarlos, como una mosca, y ellos, obviamente, se molestaban y te trataban mal.

No me gustaba molestar. No me gustaba que me trataran mal. Pero todos (incluido yo) tenemos mucho interés en vivir, y por vivir estamos dispuestos a hacer cosas que no nos gustan.

Hasta se me ocurrió alguna idea original para obligar a la gente a comprar, y los negocios marchaban. Me acercaba a los que tenían un niño en brazos, mordía un dulce sin abrirlo, dejaba la señal en el papel y, cuando no miraban, se lo daba al niño. Luego les decía a los padres: Mirad. Ha cogido un dulce a escondidas. Lo ha estropeado. Tenéis que pagarlo. O, a los más pequeños, les daba un pellizco en el brazo, muy suave, para no dejar señal, para que lloraran, y les decía a los padres: Coged algo para consolar a vuestro niño.

Pero todo esto iba contra la tercera cosa que mamá me había dicho que no hiciera: *no estafar.*

Y además estaba la cuestión de dormir. Cuando oscurecía, íbamos con los otros chicos a refugiarnos en ciertos barrios miserables de las afueras de Quetta. Casas abandonadas a punto de derrumbarse. Drogadictos detrás de los coches. Hogueras. Basura. Yo estaba muy sucio, pero todas las mañanas, incluso antes de buscar algo para comer, iba a una mezquita a lavarme y luego pasaba por la escuela de siempre.

No me salté ni un día. Como si no quisiera que me pusieran falta.


Una tarde hablé con *osta sahib,* el propietario de la tienda con quien me había metido en negocios, y le dije que quería dejarlo y que mejor sería que me buscara otro trabajo, porque no quería dormir más en la calle.

Él, en silencio, cogió un papel e hizo las cuentas. Me dijo cuánto había ganado hasta aquel momento. No me lo creía. Cogió las monedas y los billetes de un sobre y me los dio en mano. Era un buen montón de dinero. No había tenido tanto en toda mi vida.

Luego añadió: Si el problema es dormir, ven a la

tienda por la noche, antes de que cierre, y te dejo dormir dentro.

¿Dentro de la tienda?

Dentro de la tienda.

Miré alrededor. Era un sitio limpio, con alfombras en el suelo y cojines apoyados en la pared. No había agua ni baño, pero cerca había una mezquita a la que podía ir por la mañana.

Acepté. Por la tarde me presentaba en la tienda antes de las siete, él echaba la persiana metálica y luego no me dejaba las llaves, no, tenía que quedarme encerrado toda la noche hasta que, al día siguiente, volvía para abrir, aunque no volvía hasta las diez o más tarde. En espera de que volviera a recogerme, no teniendo otra cosa que hacer, recuerdo que intentaba leer los periódicos que dejaba encima del mostrador, pero, vaya, la lengua urdu nunca he conseguido aprenderla bien. Leía despacio, pero tan despacio que a mitad de la página ya no me acordaba de lo que se decía al principio. Buscaba noticias sobre Afganistán.


*Bueno, ¿me cuentas algo más sobre Afganistán antes de continuar?*

*¿Qué?*

*Sobre tu madre, o sobre tus amigos. Sobre los parientes. Sobre cómo era tu pueblo.*

*No quiero hablar de ellos, ni siquiera de los lugares. No son importantes.*

*¿Por qué?*

*Lo importante son los hechos. Lo importante es la*

*historia. Lo que te cambia la vida es lo que te pasa, no dónde ni con quién.*

Una mañana de invierno —en invierno todos los días miraba al cielo esperando que nevara, como en Nava, pero, aunque hiciera tanto frío como para arrancarte la piel, el invierno de Quetta era un invierno sin nieve, lo peor que pueda suceder; cuando comprendí que no nevaría lloré como no había llorado hasta aquel momento—, una mañana de invierno, decía, entré en la tienda de uno que vendía platos y vasos para preguntar si podía darme un poco de agua. El dueño me observó como si yo fuera un insecto, luego me dijo: Primero dime quién eres. ¿Eres chiíta o musulmán? Puesto que, en teoría, las dos cosas son lo mismo, la pregunta era una pregunta verdaderamente estúpida. Me enfadé. La paciencia tiene un límite incluso cuando eres un niño de la altura de una cabra.

Dije: Primero soy chiíta, luego soy musulmán. O mejor —añadí—, primero soy hazara, luego chiíta, luego musulmán.

Podía perfectamente haberle dicho que era musulmán y basta, pero, por irritación, le dije lo que le dije. Entonces cogió una escoba y empezó a pegarme con el mango, fortísimo, sin piedad. Me golpeaba en la cabeza y en la espalda. Escapé de la tienda gritando, un poco de rabia y un poco de dolor, con la gente alrededor, mirando, sin hacer nada. Me agaché, cogí una piedra y la lancé dentro de la tienda, un lanzamiento tan largo y preciso que, si me hubiera visto un americano, me habría llevado inmediatamente a jugar a béisbol en algún equipo, seguro. No quería darle al propietario, sólo romper platos y vasos. Se escondió debajo del mostrador para esquivar la pedrada y la piedra hizo añicos todo lo que estaba expuesto detrás, en un mueble de madera. Escapé. A aquella calle no volví jamás, ni siquiera una vez.

Ese mismo día por la tarde —Sufi no sé dónde estaba, a veces desaparecía por su cuenta— fui a comer *ash* a un indio. El *ash* es una sopa de judías con pasta fina y larga, tipo minestrone. Sí, fui a comer este *ash* —había ganado algo más de dinero y quería tratarme bien, estaba verdaderamente harto de *naan tandoori* y yogur griego—, y acababa de coger la escudilla cuando llegó uno de los barbalarga de siempre y me dijo: ¿Por qué comes *ash* de un indio?

Bueno, Fabio, tienes que saber que comer *ash* es pecado —no sé por qué, pero así es—, pero yo había probado ya el *ash*, y estaba buenísimo, lo juro. Tan bueno que, si una comida es tan buena, no creo que pueda ser pecado comerla, ¿no? Así que respondí: A mí me gusta. ¿Por qué no puedo comerlo?

Estaba en un restaurante al aire libre, por eso el hombre de la barba me había visto. Estaba en una plaza polvorienta y en el centro de la plaza estaba el indio con la olla. Pagabas por un cuenco de *ash,* él te daba el cuenco y la cuchara y tú, de pie, comías en una esquina y luego devolvías la cuchara y el cuenco. Entre vosotros una cosa así no podría existir, por higiene.

No sé quién era exactamente aquel barbalarga. Tenía un enorme turbante blanco en la cabeza, tan espeso que después de mil bastonazos no hubiera sentido nada, y la boca cubierta de barba, tanta que cuando hablaba no se veía el movimiento de los labios, sólo las mejillas, un poco, y era como para pensar que se trataba de un ventrílocuo, pero con toda probabilidad era un wahhabita, uno de esos fundamentalistas que chillan permanentemente a propósito de la jihad y esas cosas.

En cualquier caso, ¿qué hizo? Cogió el plato y me lo tiró. Y yo había pagado por aquella sopa: era mi sopa. Pero todo lo que pude hacer fue mirar cómo el caldo se secaba en el suelo y un gato se comía mis judías.

Pensé: ya basta.

Estaba harto de que me trataran mal. Estaba harto de fundamentalistas, de policías que te paraban, te pedían el pasaporte y, cuando decías que no lo tenías, te cogían el dinero y además se lo quedaban. Y tenías que dárselo inmediatamente, el dinero, porque si no te llevaban a la comisaría y te hinchaban a palos: puñetazos y patadas. Estaba harto de arriesgar la vida, como esa vez que me salvé milagrosamente de un atentado wahhabita porque los chiquillos del Liaqat Bazar no fuimos a rezar a la mezquita chiíta más grande de Quetta, como íbamos siempre, y ni siquiera sé decir por qué aquel día no fuimos, pero oímos de pronto una explosión muy fuerte y corrimos a ver. Nos contaron que dos kamikazes habían intentado entrar; a uno lo habían detenido, pero el otro consiguió su objetivo. Los dos se habían hecho estallar. Entre los de la mezquita y los de fuera habían muerto diecinueve, o eso me dijeron.

Por ejemplo, me encontraba en la calle con un

montón de chicos que iban a Irán. O que volvían de Irán. Decían que en Irán se estaba mejor que en Pakistán (y, sobre esto, no es que yo tuviera muchas dudas: habría jurado que cualquier lugar de la tierra era mejor que Quetta, incluso sin haber estado nunca) y que en Irán había mucho más trabajo. Y luego estaba la cuestión religiosa. Ellos también eran chiítas —los iraníes, quiero decir— y para nosotros, hazara, era mejor, por esa tontería de que entre hermanos de religión nos tratamos bien, mientras que yo estoy convencido de que hay que ser amables con todos, sin mirar el carné de identidad o los antecedentes religiosos.

Oía esas voces en el aire, como transmitidas por un altavoz en lugar de la oración de los muecines; las percibía en el vuelo de los pájaros, y me las creía, porque era pequeño, y, cuando eres pequeño, ¿qué puedes saber del mundo? Oír y creer eran lo mismo. Creía en todo lo que me decían.

Así, cuando oí decir aquellas cosas —que en Irán eran chiítas y te trataban bien, y que había trabajo— y cuando vi pasar por la calle a algunos chicos que volvían de Teherán o de Qom, de paso hacia Afganistán, con cuatro cuartos en el bolsillo, el pelo limpio, la ropa nueva y zapatillas de deporte en vez de sandalias, mientras que nosotros, bueno, los hazara del Liaqat Bazar apestábamos como cabras, os lo juro, cuando los vi, a esos chicos, parar una noche en el *samavat* Qgazi y reemprender el camino a casa, pensé que una vez habían sido como yo, y ahora llevaban vaqueros y camisa, y decidí que también yo iría a Irán.

Volví a ver a *kaka* Rahim y le pedí consejo, pues

entre las personas que conocía era la que más entendía de viajes. Sin sonreír, fumándose el cigarro de siempre, con el humo que se enredaba en las largas pestañas, dijo que hacía bien en irme a Irán, pero lo dijo como si hacerlo bien y hacerlo mal fueran las dos mitades de un bocadillo, que, en cualquier caso, había que comerse entero, y sin preocuparse del relleno.

Escribió algo en un folio, un nombre, y me lo tendió. Dijo: Ve a hablar con él. Era un traficante de hombres al que debía presentarme como amigo de *kaka* Rahim, de forma que me tratara bien y no le diera por engañarme, cosa que nunca hay que excluir, en estos casos. Luego fue a la cocina, preparó un paquete con garbanzos tostados y pasas y me lo dio diciéndome que no podía regalarme otra cosa que su bendición, para que llegara sano y salvo.

Estaba decidido. No me volvería atrás.

Fui a despedirme de Zaman y le prometí que leería siempre algo del Corán, si llegaba a encontrar el libro. Fui a la tienda de *osta sahib* y le di las gracias por todo. Después fui en busca de los chicos del Liaqat Bazar y les dije que me iba.

¿Adónde?

A Irán.

¿Y cómo vas?

Con un traficante de hombres. Me ha dado el nombre *kaka* Rahim.

Si te cogen acabas en Telisia o en Sang Safid. Como el viejo loco del mercado, ése de las piedras en el bolsillo, que se pasa todo el día frotándolas porque está convencido de que por dentro son de oro.

Conocía bien las historias que circulaban sobre

Telisia y Sang Safid. Historias de malos tratos. Dije: De todas formas, no quiero seguir más aquí.

Dicen que un montón de gente muere porque en la frontera los policías iraníes te disparan, dijo uno.

Dicen que se trabaja mucho, dijo otro.

Cuentos, dije yo. Lo único es ir a verlo con los propios ojos.

Sufi comía dátiles alargando la mandíbula para masticar, como los camellos. Se limpió la boca con la manga del *pirhan,* se quitó la bolsa del hombro y la apoyó en el suelo. De un salto, hacia atrás, se subió a una tapia y puso en fuga a una lagartija que tomaba el sol. Guardó silencio unos minutos, según su costumbre, cruzado de brazos y piernas. Luego dijo: ¿Estás seguro de que es una buena idea?

Me encogí de hombros. De una cosa estaba seguro: quería irme.

*Ba omidi khoda.* Yo tampoco quiero estar aquí, dijo Sufi.

No añadí nada, porque esperaba que lo dijera él.

Voy contigo, Enaiat.


Cuando fuimos a hablar con el traficante, en una sala oscura llena de humo de *taryak* con un montón de hombres que bebían *chay* y calentaban opio en hornillos, nos pidió inmediatamente dinero. Pero no teníamos todo el dinero que pedía. Vaciamos los bolsillos del *pirhan,* dándoles la vuelta, rebuscamos todas las monedas y todos los billetes arrugados que habíamos ahorrado y se los pusimos delante, apilados, en la mesa: una pequeña montaña de dinero.

Es todo lo que podemos darte, dije. Ni media rupia más.

Nos miró de arriba abajo un buen rato, como si tomara medidas para hacernos un traje. Vuestro montoncillo de dinero ni siquiera basta para pagar el billete del autobús a la frontera, dijo.

Sufi y yo nos miramos.

Pero podría haber una solución, añadió, acabando de cortar una manzana y llevándose un pedazo a la boca con el cuchillo. Yo os llevo a Irán, de acuerdo, pero en Irán tendréis que trabajar en un sitio que yo conozco.

¿Trabajar? Estupendo, dije. No daba crédito a mis oídos: no sólo nos llevaba a Irán, sino que también nos encontraba trabajo.

Durante tres o cuatro meses, depende de lo que me cueste vuestro viaje, vuestro sueldo me lo quedaré yo, dijo el traficante. Luego podréis consideraros libres y hacer lo que os parezca. Quedaros allí, si os habéis sentido bien. O iros, si os habéis sentido mal.

A Sufi le faltaba que cerrara los ojos y se arrodillara a rezar, tan callado y tranquilo estaba. Yo me sentía aturdido por el humo y la oscuridad, e intentaba pensar dónde podía estar la trampa, porque los traficantes son famosos por sus trampas, pero el hecho, sí, es que no teníamos más dinero, y él tendría que pagarles a los baluchis y los iraníes que nos permitirían pasar la frontera, y ése era el mayor gasto, así que no le faltaba algo de razón: no éramos sus hijos, no quería perder dinero con nuestro viaje. Y además yo me había presentado como amigo de *kaka* Rahim, no como un cualquiera, y eso me tranquilizaba más que ninguna otra cosa.

Sufi y yo dijimos que estaba bien.

Mañana por la mañana, a las ocho, tenéis que estar aquí, dijo. *Khoda negahdar.*


A las ocho. Frente a la puerta del local. Pero ni yo ni Sufi teníamos reloj, es más, ni Sufi ni yo habíamos poseído jamás, digo *jamás,* un reloj en nuestra vida. En Nava, para saber la hora, medía la sombra con pasos y, cuando no había sol, intentaba adivinarla. El despertador era la luz, el canto del muecín, el quiquiriquí de los gallos y, allí, en Quetta, el ruido de la ciudad que empezaba a trabajar. Bueno, lo digo para decir que Sufi y yo aquella noche decidimos no dormir.

Estuvimos dando vueltas, despidiéndonos de la ciudad.

Por la mañana el traficante nos llevó a un lugar no lejano, unos veinte minutos a pie, donde nos quedamos hasta mediodía y donde comimos yogur y pepinos: nuestra última comida en Pakistán, lo recuerdo perfectamente. Luego partimos.

Primero viajamos en un autobús de línea hasta la frontera, un autobús de esos con sitio de sobra para sentarse, y no como clandestinos, escondidos bajo los asientos, sino con billete como las personas importantes. Estábamos muy contentos. Nunca nos hubiéramos imaginado que nuestro viaje a Irán pudiera ser tan cómodo y, de hecho, no lo sería; pero, como comienzo, no hay nada que objetar: era un comienzo a lo grande.

En la frontera nos unimos a otro grupo de personas. En total éramos diecisiete. Nos subimos en una furgoneta Toyota de esas con la caja descubierta: delante había cuatro sitios, ocupados por el traficante y sus socios, mientras que detrás nos apiñamos los diecisiete, apretados como aceitunas. Había también uno de esos barbalarga —con nosotros, los que íbamos a pasar la frontera de contrabando, digo—, uno gordo y desgreñado, al que debí resultar inmediatamente antipático, sí, aunque no le había hecho nada, y que durante el viaje intentó tirarme del camión con la rodilla, como si no se diera cuenta, tantas veces que, en un momento dado, tuve que decirle ya está bien, para, no lo hagas más, pero era como si hablara con la montaña, con todo el ruido que hacían las ruedas y el motor. La Toyota trepaba por las carreteras, sobre los barrancos, y yo corría el riesgo de caer sin que el hombre me empujara. Comencé a implorarle, a decirle que no le había hecho ningún daño. Tampoco Sufi sabía qué hacer, quería ayudarme, pero ¿cómo? En ese momento, sin decir nada, se levantó otro hombre, un tayiko quizá, se levantó tranquilo, como para ir a beber un poco de agua, y le soltó un puñetazo en la cara al barbalarga y le dijo que me dejara en paz, que no le había hecho nada y que los dos teníamos un viaje que hacer y ganas de llegar, y no había motivo para molestarnos unos a otros.

Entonces el tipo se tranquilizó.

Después de horas y horas llegamos y nos hicieron bajar. No sabría decir dónde estábamos: una zona de media montaña árida, desnuda y quebradiza. Estaba oscuro y no había luces, incluso la luna se había escondido aquella noche. Los traficantes de hombres nos obligaron a ocultarnos en una cueva porque la orden era llevar a la ciudad sólo a cinco personas cada vez.

Cuando nos tocó a nosotros, a Sufi y a mí, los traficantes subieron a Sufi detrás y a mí delante, en el asiento de al lado del conductor. Me dijeron que me agachara. Delante subieron dos personas más, así que esa parte del viaje hasta la ciudad —yo, que había esperado tanto mirar por la ventanilla— lo hice entre los pies de los dos pasajeros, con las suelas de sus zapatos apoyadas en mi espalda.

La ciudad a la que llegamos, cuando llegamos, se llamaba Kermán.

# Irán

Una casa de dos pisos. Un patio con plantas y una tapia de piedra que lo separaba de la calle; no se podía salir a jugar a *Buzul-bazi* o a la pelota, la verdad. En el primer piso había un baño con ducha y dos salones amplios con cojines y alfombras y muchas ventanas, pero todas cegadas. En el piso de abajo, igual. Salvo en el baño, que estaba fuera, en el patio, oculto por un ciprés. En resumen, una casa bonita, la casa de Kermán.

No sólo estábamos allí nosotros y nuestro traficante de hombres. Otros grupos de personas habían llegado de quién sabe dónde, clandestinos de paso, como nosotros. Había quien dormía, quien comía, quien hablaba en voz baja; alguno se cortaba las uñas; un hombre consolaba a un niño que, tumbado en el suelo, en un rincón, lloraba desesperadamente; un traficante, sentado a la mesa, limpiaba un largo cuchillo; muchos fumaban y las capas de humo invadían la habitación. Ni una mujer. Sufi y yo estábamos sentados contra una pared para descansar. Llevaron comida: arroz con pollo frito. Estaba bueno el arroz, y también el pollo frito. Y sería por el hecho de estar vivos, de estar en Irán en aquella casa tan bonita, y por el arroz y el pollo frito tan sabrosos, en fin, sería por tantas emociones juntas, pero empecé a temblar.

Sentía frío y calor a la vez. Sudaba. Al respirar, producía un silbido agudo, y me recorrían tales escalofríos que ni un terremoto hubiera sacudido así mis cimientos.

¿Qué te pasa?, dijo Sufi.

No lo sé.

¿Estás mal?

Creo que sí.

¿De verdad? ¿En qué sentido?

Ve a llamar al señor.

¿A qué señor?

Al que me defendió del barbalarga.

El hombre que había impedido que mis huesos se hicieran añicos en el fondo de un barranco durante el viaje en la Toyota se arrodilló junto a mí, me apoyó una mano en la frente —era tan grande la mano que sus dedos me llegaban de una oreja a otra— y dijo: Está ardiendo. Tiene fiebre.

Sufi se metió un dedo en la boca. ¿Qué podemos hacer?

Nada. Debe descansar.

¿Se puede morir?

El hombre arrugó la nariz. *Na ba omidi khoda,* pequeño hazara. ¿Quién puede decirlo? Esperemos que no, ¿vale? Creo que sólo está muy cansado.

¿No podemos llamar a nadie? No sé, a un médico.

Ellos verán, dijo el hombre. Y señaló a los baluchis. Mientras, voy a coger un paño y a mojarlo en agua fría.

Recuerdo que abrí un ojo. El párpado pesaba como la persiana metálica de la tienda de sandalias de *osta sahib*. No te vayas, le dije a Sufi.

No voy a ningún sitio, tranquilo.

El hombre volvió con el trapo mojado. Me lo puso en la frente, con delicadeza, dijo palabras que no entendí, algunas gotas de agua me chorrearon por el pelo, por el cuello, por las mejillas, detrás de las orejas. Oí una música y creo que pregunté algo: quién estaba tocando, por ejemplo. Recuerdo la palabra «radio». Recuerdo que estaba en Nava, y que nevaba. Recuerdo la mano de mi madre entre el pelo. Recuerdo los ojos bondadosos de mi maestro muerto, me estaba recitando una poesía y me pedía que la repitiera, pero yo no podía. Luego, me dormí.


Uno tras otro, en pequeños grupos, de la casa se fueron todos, excepto dos contrabandistas. Se fue también el señor amable de las manos grandes. Yo me puse un poco peor y, de algunos días, no tengo recuerdos: sólo una sensación de calor y el miedo a caer, a resbalar sin poder agarrarme a nada. Me sentía tan mal que no podía moverme: alguien había vertido cemento sobre los músculos de mis piernas y mis brazos; y tampoco funcionaban las venas, la circulación se había interrumpido.

Durante una semana sólo comí sandía. Tenía sed, mucha sed. Hubiera bebido sin parar para apagar el incendio que la enfermedad me había encendido en la garganta.

Toma esto.

¿Qué es?

Abre la boca. Así. Ahora bebe y traga.

¿Qué es?

Sigue acostado. Descansa. *Rahat bash.*

Los traficantes, bueno, no podían llevarme al hospital, ni a un médico, está claro. Éste es el mayor problema de ser clandestino: también eres ilegal en la salud. Me dieron medicinas que ellos conocían, que tenían en casa, pequeñas pastillas blancas que se tragaban con agua. No sé qué era —no podía hacer preguntas en mi triple condición de enfermo, deudor y afgano—, sólo sé que al final me curé, que es lo que importa. Una semana después me sentía mejor.

Nuestro traficante nos dijo una mañana a Sufi y a mí que cogiéramos nuestras cosas —algo que me hizo reír, porque no teníamos nada que coger— y lo siguiéramos.

Fuimos a la estación de Kermán.

Era la primera vez que andaba por las calles iraníes de día y empezaba a pensar que el mundo era menos variado y misterioso de lo que había imaginado cuando vivía en Nava.

La estación, recuerdo, era un edificio largo y bajo, con una escalinata de piedra, un pórtico ondulado y un cartel sobre el techo, en parte azul y en parte transparente, en el que estaba escrito Kerman Railway Station en amarillo y, en rojo, lo mismo en farsi. Nos esperaban otros dos traficantes beluchis, socios de nuestro traficante, y un pequeño grupo de afganos que yo había visto el día antes en la casa.

Subimos al vagón por puertas distintas. El tren era directo, a Qom. Una ciudad importante, Qom, entre Isfahán y Teherán, lugar sagrado para los musulmanes chiítas porque alberga la tumba de Fátima al-Masuma. Yo estaba ahora en tierra chiíta. Y, aunque no me importara demasiado, bueno, me sentía en casa, o al menos esperaba estarlo, estar en un sitio donde me tratarían bien, que es lo mismo.

Estaba eufórico.

Estaba curado.

Estaba dispuesto a todo.

Hacía un magnífico día de sol, y Sufi y yo, juntos, estábamos en Irán.


*Dices que te sentías grande, Enaiat. A causa de la fiebre también estabas más alto. Dicen que los niños crecen cuando tienen fiebre, ¿lo sabes?*

*Sí. Lo sé.*

*¿Cuánto mides ahora?*

*Un metro setenta y cinco, creo.*

*¿Y cuando estabas en Irán?*

*Como un niño de once o doce años, no sé. ¿Cuánto miden?*

*¿Cuánto tiempo había pasado, en ese momento, desde el principio del viaje.*

*¿Desde que dejé Nava, quieres decir?*

*Sí.*

*Dieciocho meses. Sí, yo diría que unos dieciocho meses, más o menos.*

*Y hemos dicho que te fuiste a los diez años.*

*Eso hemos dicho, Fabio. Aunque no lo sepamos.*

*Ya. Y ¿en qué periodo del año llegaste a Irán?*

*En primavera.*

*Muy bien. Por lo menos el tiempo es algo que tene-*
*mos claro.*

*No, Fabio. Claro no hay nada.*

*El tiempo, sí, Enaiat. Corre a la misma velocidad en*
*todas las partes del mundo.*

*¿Tú crees? Sabes, Fabio, yo no estaría tan seguro.*


A Qom, pues. Metido en un tren de altísima velocidad a través de Irán. Irán, que visto desde las venta-
nillas, así, a distancia, me parecía mucho más verde
que Pakistán y Afganistán. Fue, recuerdo, un viaje
maravilloso, cómodamente sentados, junto a decenas y decenas de pasajeros del lugar: olor a agua de
colonia, vagón restaurante y asientos limpios y blan-
dos para dormir.

Nuestro traficante y sus socios se sentaron a tres o
cuatro filas de mí y de Sufi y de todos los demás afganos, de manera que pudieran controlarnos confun-
didos entre los demás pasajeros. En la estación de
Kermán, antes de que el tren cerrara las puertas, nos
habían dicho: Pase lo que pase, nosotros no nos cono-
cemos. ¿Está claro? No debéis nunca, jamás, decla-
rar que vais con nosotros. Si suben policías y después
de un control os dicen que los sigáis, obedeced. Si os
llevan a la frontera, estad tranquilos. Nosotros iremos a recogeros. ¿Lo habéis entendido?

Dijimos que sí, con la voz y con el mentón. Nos
miraron y nos preguntaron una vez más si lo habíamos entendido bien, y por segunda vez respondimos
que sí todos a coro. Y entonces, para asegurarse y
hacer bien las cosas, nos lo preguntaron una tercera.

Creo que estaban un poco nerviosos, o qué se yo. En cualquier caso, cuando subía el revisor, iban enseguida a hablar con él y a enseñarle papeles: creo que le daban dinero también.

Nos apeamos en Qom. Para algunos el viaje acababa allí. Los traficantes telefonearon a ciertas personas para que vinieran a recogerlos. Pero Sufi, yo y algún otro subimos a un coche de línea que hacía el trayecto Qom-Isfahán. Creo que nuestro traficante y el conductor se conocían, porque cuando se vieron fueron uno al encuentro del otro y se intercambiaron besos en las mejillas.

A mitad del viaje el coche de línea disminuyó la velocidad de repente. Sufi me apretó el brazo.

Me haces daño, dije.

¿Qué pasa?

Descorrí las cortinillas que habíamos echado para protegernos del sol. Ovejas, dije.

¿Qué?

Ovejas. Hemos parado por un rebaño de ovejas.

Sufi se dejó caer en el asiento, con las manos en los oídos.

Una hora después llegamos a Isfahán.


Primero) os llevo donde yo quiera.

Segundo) trabajáis donde yo quiera.

Tercero) durante cuatro meses vuestra paga la cojo yo.

Eso era lo pactado. Así que, de acuerdo, hasta aquel momento todo había ido como la seda, me habían cuidado cuando estuve enfermo, el tren era cómodo y al autobús no lo había parado un control de la policía (iraní) sino un rebaño de ovejas (iraníes), etcétera, pero ahora faltaba saber dónde Sufi y yo pasaríamos los cuatro meses siguientes —como mínimo— de nuestra vida y en qué íbamos a trabajar. Por eso el trayecto entre la estación de autobuses de Isfahán y nuestro destino —es curioso que «destino» signifique dos cosas, ¿verdad?— me pareció, lo juro, más largo y peligroso que todo aquel subir y bajar de trenes y coches de línea en mitad de la nada que lo había precedido.

Pero.

Pero, llegados a una zona poco frecuentada de las afueras, al sur de la ciudad, nuestro traficante nos llevó a una obra en la que estaban construyendo un edificio de cuatro pisos, pero largo, muy largo, con muchos apartamentos, todos iguales, en hilera. Había distintas empresas y cada una tenía la contrata para un bloque de casas. Hacía mucho calor. Caminamos entre el polvo alrededor del edificio hasta que un iraní alto y con los ojos pequeños salió de detrás de un contenedor lleno de ladrillos y nos dijo que entráramos.

El traficante estrechó la mano del iraní, que tenía toda la pinta de ser un maestro de obras, vista la camisa limpia y la barba cuidada, nos presentó con pocas palabras, sólo los nombres, como si nos estuvieran esperando y ya se hubieran puesto de acuerdo con anterioridad, luego se volvió hacia nosotros y dijo: Ya sabéis lo que tenéis que hacer. Sólo eso. Ya sabéis. Cogió del suelo la bolsa y se fue.

El maestro de obras se rascó la cabeza y preguntó: ¿Qué sabéis hacer?

Nada, dijimos (ser honestos era lo mejor).

Lo suponía, respondió el maestro de obras. Venid conmigo.

Sufi y yo nos miramos y lo seguimos.

El edificio era un esqueleto, sin puertas ni ventanas. El jefe nos condujo a un apartamento con el suelo sin baldosas, sólo cemento áspero y resquebrajado. Aquí es donde vive quien trabaja para nosotros, dijo. Fui al centro de la habitación y miré a mi alrededor. Ventanas y puertas estaban cerradas con nailon. No había agua, ni tampoco gas. El agua, dijo el jefe, la llevaban con camiones cisterna, y para guisar se usaban bombonas reciclables que se rellenaban en un comercio cercano. Un cable eléctrico, remendado con cinta adhesiva, subía por el muro externo del edificio, entraba por la ventana, corría por el techo y colgaba cerca de la puerta del pasillo, con una bombilla.

Id a coger arena, dijo el maestro de obras. Arena. Ahí detrás.

Volvimos con dos sacos de arena en la cabeza, Sufi y yo, sólo para demostrar que éramos pequeños, sí, pero fuertes.

Descargadla en aquel rincón. Bien, así. Aplanadla con la escoba y desenrollad encima una alfombra. Una de ésas. Extendedla ahí. Dormiréis aquí hasta que el edificio esté acabado. Luego iremos a otra obra. Sed limpios y recordad que no estáis solos. La educación de uno hace que todos estén bien, ¿queda claro? Aprenderéis pronto cómo funciona la vida aquí dentro, para lavarse, para comer, para rezar y para todo lo demás. Si tenéis problemas, hablad conmigo, no intentéis resolverlos solos. Ahora bajad al patio, presentaos a los otros trabajadores y haced lo que os digan que hagáis.


Todos clandestinos. Los albañiles, los carpinteros, los instaladores de aquella empresa no tenían documentación. Vivían allí, en los apartamentos en construcción de aquel gran complejo residencial. Y esto, quede claro, no porque viviendo dentro lo construyéramos mejor, ni para trabajar más —aunque, de alguna manera, las dos cosas sean verdad: construyes una casa que no es tuya, pero en ese momento es como si lo fuera, le tomas un poco de afecto y acabas cuidándola más, y, si no tienes que perder tiempo en volver a casa por la noche e ir a trabajar por la mañana, puedes empezar el trabajo en cuanto despiertas y dejarlo poco antes de ir a dormir o a cenar, si te quedan fuerzas para comer—, no tanto por esos motivos, decía, sino porque era el sitio más seguro.

De hecho nadie salía jamás de la obra.

La obra no era sólo una casa.

La obra era un mundo.

La obra era el sistema solar.

Los primeros meses ni Sufi ni yo pusimos jamás un pie fuera de la obra. Teníamos miedo de la policía iraní. Teníamos miedo de acabar en Telisia o Sang Safid, que, si no sabéis qué son, creedme, es porque no habéis sido refugiados afganos en Irán, pues todos los refugiados afganos en Irán saben lo que son Telisia y Sang Safid. Dos centros de estancia temporal. Legendarios. Dos campos de concentración, por lo que luego he podido leer sobre campos de concentración: no sé si me explico. Lugares sin esperanza.

Bastaba pronunciar su nombre en Afganistán para extraer el aire de una habitación como en las bolsas al vacío para alimentos. El sol se oscurecía y caían las hojas. Se contaba que los policías obligaban a las personas a subir a las colinas —eran lugares enormes— llevando la cubierta de un neumático de camión al hombro, y que luego los obligaban a meterse en la cubierta y los echaban a rodar colina abajo, entre las rocas.

Estando en Afganistán me encontré por la calle con dos chicos que se habían vuelto locos. Hablaban solos, gritaban, se meaban encima. Y me acuerdo de que alguien me dijo que habían estado en Telisia, o en Sang Safid.


Tres días después, más o menos, de que llegáramos Sufi y yo, vi discutir a un grupo de trabajadores sobre quién tenía que ir a hacer algo en algún sitio. Iba corriendo, con un cubo en la mano. Me paré a escuchar.

¿Ir adónde?, pregunté.

A comprar.

¿A comprar? ¿Fuera?

¿Has visto tiendas en la obra, Enaiat *jan*? Cada semana alguien tiene que ir a hacer la compra, dijo uno de los más antiguos. Yo he ido tres veces, en los últimos meses. Ahora le toca a Khaled. Él sólo ha ido una vez.

Sí. Pero hace tres semanas. ¿Cuánto tiempo hace que no va Hamid, eh? ¿Cuánto? Dos meses. O más.

No es verdad. Fui el mes pasado, ¿no te acuerdas?
El polvo te ha recubierto la memoria, Hamid.

El hecho, en cualquier caso, era que a la semana sólo uno, pero uno de los que llevaban allí más tiempo, uno que sabía como moverse por la ciudad, hacia la compra para todos. Cogía un taxi e iba a comprar todo lo que hacía falta a cierta tienda, un almacén donde había de todo un poco, y el dueño era un amigo. Luego volvía enseguida. No se tomaba ni siquiera el tiempo de un *chay* o un bocadillo. A su regreso, se compartían los gastos. Guisábamos juntos, comíamos juntos, limpiábamos juntos. Cada uno, su tarea. Cada uno, su turno.

Al final, ese día, fue Hamid. Lo vi subir a un taxi. Grité: Buena suerte, *kaka* Hamid.

*Ba omid khoda,* Enaiatollah *jan.*

Ten cuidado con la policía, dije.

Y tú ten cuidado con la cal. La bolsa pierde.

La cal me estaba cayendo en el zapato. Fui corriendo al jefe. Al acabar la jornada me quedé esperando a *kaka* Hamid cerca de la cancela, y ya estaba seguro de que lo habían capturado —me lo imaginaba rodando colina abajo en Telisia dentro de una rueda— cuando vi una nube de polvo que se levantaba detrás de la curva y el mismo taxi al que subió por la tarde pasar flechado a lo largo de la pared de la obra y detenerse ante mí. El maletero estaba lleno hasta los topes de bolsas. Lo ayudé a descargarlas y a subirlas.

Gracias, Enaiatollah *jan.*

De nada, *kaka* Hamid. ¿Ha ido todo bien? ¿Has visto a la policía?

No he visto a nadie. Todo ha ido bien.

Y Sufi, por su parte, decidió irse. Incluso nos peleamos por ese motivo, pero no recuerdo bien cómo fue, recuerdo sólo que no nos despedimos y que estuve mal un montón de tiempo. Podía ser la última vez que nos veíamos. No se sabe nunca qué nos deparará la vida en cualquier momento.

Me voy, dijo una noche. Isfahán es demasiado peligrosa.

¿Y adónde vas?

A Qom.

¿Por qué a Qom? ¿Qué diferencia hay entre Qom e Isfahán?

En Qom hay muchos afganos. Trabajan la piedra. Están juntos y todo eso.

Quería dejarme. No podía dar crédito a mis oídos. No puedes irte, dije.

Ven conmigo.

No. Yo estoy bien en la obra.

Entonces me iré solo.

¿Quién te ha contado esa historia de los afganos en Qom? ¿Y si no fuera verdad?

Unos chicos que trabajan en el edificio para otra empresa. Incluso me han dado un número de teléfono, mira.

Me enseñó un pedazo de papel. Había escrito un número con un rotulador verde. Le pedí un bolígrafo a *kaka* Hamid y lo apunté en un cuaderno que él me había traído de la tienda, de regalo, un cuaderno con la tapa negra en el que escribía cosas que así podía incluso olvidar, puesto que ya las había escrito. Había sido él, *kaka* Hamid, quien me había enseñado a leer y a escribir mejor de lo que ya sabía.

A la mañana siguiente, cuando me desperté, Sufi ya no estaba.

Empecé a pensar que dormir era un error. Que, de noche, quizá convenía quedarse despierto, para evitar que las personas que me eran cercanas desaparecieran en la nada.


De la ausencia de una persona te das cuenta por las pequeñas cosas.

La ausencia de Sufi la notaba sobre todo de noche, cuando me volvía en sueños y los brazos y las manos no lo encontraban en la alfombra, junto a mí. Y la notaba de día, en los descansos del trabajo, que ya no pasaba con él tirándoles piedras a las latas, a los cubos y a esas cosas.

Una noche volví del trabajo triste de verdad y me senté ante el pequeño televisor en blanco y negro, uno de esos con las antenas que se orientan a mano, con los que pasas más tiempo intentando sintonizarlos que viendo las transmisiones. En un canal había una película con torres que se derrumbaban. Busqué otro, y ponían la misma película. Otro, la misma. Llamé a *kaka* Hamid para que me ayudara, y me dijo que no era una película. Que en América, en Nueva York, dos aviones se habían estrellado contra el World Trade Center. Decían que habían sido los afganos. Luego que había sido Bin Laden y que los afganos lo protegían. Decían que había sido al-Qaeda.

Me quedé un rato oyendo, luego comí un poco de menestra y me acosté. Habría sido grave lo que acababa de pasar, y ahora sé que era grave, una tragedia terrible, pero en aquel momento yo pensé que para mí era más grave no estar con Sufi.

Cuando no tienes familia, los amigos lo son todo.


Entre tanto, el tiempo pasaba. Segundos, minutos, horas, días, semanas. Meses. El repiqueteo de mi vida. Me hubiera gustado comprarme un reloj, sólo por dar sentido al transcurrir del tiempo, un reloj que señalara la hora y la fecha, y el crecer de los dedos y los cabellos, que me dijera cuánto estaba envejeciendo.

Luego llegó el día, un día especial, en el que terminamos de trabajar en el edificio, porque ya no había nada que hacer y todo había sido instalado, incluso los picaportes de las puertas: sólo quedaba entregar las casas a los propietarios. Así que nos fuimos a trabajar a otro sitio. Los dos socios de la empresa se separaron y yo me quedé con el que me caía más simpático.

Nos trasladamos a un pueblo de la periferia de Isfahán, Baharestán, y yo era cada vez más hábil en ese trabajo de levantar casas, etcétera, y a menudo me confiaban tareas para las que se necesitaba mayor competencia y responsabilidad (eso me decían, pero no sé bien si no era para tomarme el pelo), por ejemplo, subir el material a las plantas altas de la casa tirando de una cuerda.

Sólo que, sí, había mejorado y, sí, todos confiaban en mí, pero seguía siendo igual de pequeño. ¿Y entonces? Entonces pasaba que mientras tiraba de la cuerda el material se hacía más pesado que yo. La carga empezaba a bajar y yo a subir. Todos se reían y antes de que llegara alguno a ayudarme yo tenía que gritar y chillar, gritar y chillar sin soltar la presa, si no, al final, la carga se rompía y la culpa la tenía yo.

Pero lo mejor, lo que podríamos llamar mi pequeña revolución de Baharestán, es que empecé a salir de la obra. Eso porque Baharestán es un pueblo muy pequeño, mucho menos peligroso que Isfahán. Y porque había aprendido a hablar bien la lengua farsi,* y había muchas personas que eran amables conmigo, sobre todo las mujeres.

Cuando las veía volver de las tiendas con las bolsas de la compra llenas, me ofrecía a subírselas por las escaleras. Se fiaban de mí, me acariciaban la cabeza y algunas veces me regalaban un dulce o qué se yo. Casi pensaba que aquél podía ser un lugar donde vivir para siempre. Un lugar al que por fin llamar casa.

Allí en la zona me pusieron un apodo: *felfeli,* que significa «guindilla». El dueño de una tienda donde iba a hacer la compra o, de vez en cuando, a tomar helado, me repetía siempre *felfel nagu ce rise, bokhor bebin ce tise,* que significa más o menos: «no digas lo pequeña que es la guindilla, prueba lo picante que es». Ese señor era un poco mayor y yo me encontraba con él estupendamente.

---

* Pequeña nota sobre la cuestión de la lengua, para no interrumpir el flujo del relato. Si no os interesa, seguid leyendo: en las próximas líneas no muere nadie ni se dan informaciones fundamentales para la historia. La cuestión de la lengua es que yo no hablaba bien el iraní. Las dos lenguas, farsi y dari —que se leen con el acento sobre la última sílaba, *farsí* y *darí*— se parecen, pero el acento del farsi (hablado en Irán) no es exactamente el del dari (que es un dialecto oriental del farsi, hablado en Afganistán). La escritura es exactamente igual, pero la lengua tiene un acento distinto; muy distinto. Esto es todo. (*N. del a.*)

Pasados algunos meses, decidí hacerle una visita a Sufi.

Desde su marcha, no había vuelto a hablar con él, pero tuve noticias suyas a través de algunos amigos que habían estado en su misma fábrica, en Qom.

Yo conservaba el número de teléfono escrito en el cuaderno, como se conservan las cosas preciosas, y una tarde llamé a la fábrica. Respondió un telefonista. ¿Sufi qué?, dijo. No hay ningún Sufi en nuestra empresa.

Gioma, dije yo entonces. Gioma, no Sufi.

¿Gioma Fausi?, preguntó el telefonista.

Sí, eso es.

Fue un saludo embarazoso, así, por teléfono. Pero, a pesar de su calma habitual, comprendí que estaba tan emocionado como yo.

Le prometí que iría a verlo.

Así, una mañana calurosa, de poco viento, cogí el autobús a Qom. En aquel momento, sería porque llevaba en Irán bastante tiempo y nunca me había pasado nada, no pensé que, si me hubiera cruzado con un banal puesto de control, con unos simples policías, bueno, mi viaje habría podido acabar mal; no lo pensé y, como sucede cuando no se piensan demasiado las cosas, todo fue como la seda.

Sufi me esperaba en la estación de autobuses. En aquellos meses tanto él como yo (él más que yo) habíamos crecido, y antes de reconocernos nos estudiamos a distancia unos segundos.

Luego nos abrazamos.

Me quedé en Qom una semana. Dormí a escondidas en la fábrica y dimos vueltas por la ciudad y jugamos a la pelota con otros chicos afganos. Aquello era muy agradable, pero yo no estaba preparado para cambiar de casa, ahora que había encontrado un lugar donde vivir para siempre. Así que al final de la semana que me había tomado libre, volví a Baharestán.

Justo a tiempo para que me repatriaran.

Sucedió de día. Estábamos trabajando. Yo estaba concentrado en preparar el enlucido, mezclaba la cal con el cemento, y no miraba a ningún sitio, sólo dentro del bidón y dentro de mí —que es algo que suelo hacer, mirar dentro de mí— y recuerdo haber oído llegar coches, pero pensé en los proveedores; el maestro de obras los estaba esperando.

Resulta que en Irán las casas están una cerca de la otra y tienen una placita en común, en el centro. La plaza tiene sólo dos accesos. Y así llegó la policía. Estratégicamente —los policías están llenos de estrategias— dos coches y un furgón bloquearon una entrada, mientras un gran número de agentes, a pie, dio la vuelta y entró por la otra.

Imposible escapar. Nadie lo intentó. El que tenía en la mano ladrillos y palustre dejó ladrillos y palustre; el que, de rodillas, conectaba cables para una instalación eléctrica, dejó la conexión y se puso de pie; el que clavaba clavos y empuñaba un martillo y tenía los clavos en la boca para no tenerse que inclinar cada vez a cogerlos de la caja, dejó de pegar martillazos, se quitó los guantes, escupió los clavos en la arena (escupió y basta) y siguió a los policías sin añadir nada. Ni siquiera un gruñido.

Telisia, Sang Safid.

En cuanto vi a los agentes desplegarse por la obra, gritando, con las armas en la mano, sólo pensé en eso.

Telisia, Sang Safid.

Pensé en los dos locos que vi en Afganistán.

Un policía me ordenó dejarlo todo y seguirlo. Nos reunieron en la plaza central de las casas y luego nos fueron haciendo salir poco a poco por la parte que bloqueaban los coches; según salíamos, nos cargaban en un furgón.

Cogieron a *kaka* Hamid, y tuve miedo de que le hicieran daño delante de todos para demostrarnos que eran capaces de hacernos daño si querían. En vez de eso le dijeron: Ve a coger el dinero.

*Kaka* Hamid atravesó el patio y subió a «casa», esperamos en silencio. Cuando volvió, traía un sobre con el dinero suficiente para nuestro regreso a Afganistán. Porque en Irán, cuando te repatrían, tienes que pagarte tú la vuelta a casa. No la paga el Estado. Si te detienen en grupo, como nos sucedió a nosotros aquel día, tienes suerte: la policía deja libre a uno del grupo y le dice que vaya a buscar el dinero para pagar la repatriación de todos. Pero si te detienen solo y no tienes forma de pagarte el viaje hasta la frontera, entonces te va mal de verdad, porque te obligan a quedarte en el centro de estancia temporal y el dinero para el regreso a casa debes ganártelo haciendo de esclavo para el centro y los policías: te hacen limpiar todo lo que está sucio, y estoy hablando de un sitio que es el sitio más sucio del mundo, me lo han dicho, un sitio que, aunque lo limpiaras al vapor, etcétera, seguiría siendo la cochambre de la Tierra, algo con lo que ni siquiera un escarabajo se haría la madriguera.

Si no pagas, corres el riesgo de que el centro de estancia temporal se convierta en tu casa.

Nosotros pagamos ese día. Y no sólo eso. *Kaka* Hamid me confió luego en el furgón que, cuando fue a coger el dinero, había encontrado a dos de nosotros que estaban preparando la cena y no se habían dado cuenta de nada. Les rogó que se quedaran allí a vigilar nuestra cosas hasta que volviéramos.

Siempre que no nos llevaran a Telisia. O a Sang Safid.


Por fortuna el lugar al que nos llevaron era otro.


En el campo nos raparon la cabeza. Para que nos sintiéramos desnudos. Y porque así, después, la gente entendería que habíamos estado en Irán, clandestinos, y que habíamos sido expulsados. Se reían, mientras nos cortaban el pelo. Ellos se reían y nosotros en fila como ovejas. Yo, para no llorar, miraba cómo los mechones se acumulaban en el suelo: es raro el pelo cuando no está en la cabeza.

Luego nos cargaron en un camión. Partimos a gran velocidad y parecía que el conductor buscara los agujeros de la carretera, porque era difícil atravesar tantos sin hacerlo a propósito. Yo pensaba que quizá fuera un tratamiento que formaba parte de la repatriación, e incluso se lo dije a los demás, pero nadie se rió.

En cierto momento nos gritaron que nos apeáramos, que habíamos llegado. Si hubieran tenido uno de esos camiones para el transporte de arena, con el remolque que se levanta, nos habrían descargado así, haciéndonos rodar lo más lejos posible. En vez de eso, se limitaron a darnos unos cuantos palos.

Herat, Afganistán. El lugar más próximo a la frontera, entre Afganistán e Irán. Cada uno se las arregló, a toda prisa, para volver atrás, lo que no era ningún problema. Herat está llena de traficantes a la espera de repatriados. Casi no tienes tiempo de dejarte apalear por la policía, cuando inmediatamente te cogen y te llevan de nuevo a Irán.

Incluso, si no llevas dinero, puedes pagarles más tarde. Saben que, si has trabajado en Irán durante cierto tiempo, tienes dinero escondido en algún agujero, o que, si no lo tienes, puedes pedirle un préstamo a alguien, sin dejarte esclavizar cuatro meses, como nos pasó la primera vez a Sufi y a mí. Lo saben.


Para volver a Irán usamos otra vez una furgoneta Toyota. Pero este viaje fue más peligroso, porque la carretera era la que tomaban los contrabandistas para pasar la mercancía con la que traficaban ilícitamente. Droga incluida. Y en la Toyota había también droga. En Irán, si te cogen con más de un kilo de opio te ahorcan. Es verdad que a lo largo de la frontera muchos policías eran corruptos, por suerte, y te dejaban pasar porque les pagaban, pero si en lugar de eso te encontrabas con uno serio (y los había también, de una pieza), bueno, estabas muerto.

A nosotros esa vez nos fue bien. Volvimos a Baharestán.

Fui inmediatamente a la obra en busca de *kaka* Hamid, pero aún no había regresado. Mi dinero estaba en su sitio, en el agujero. Los dos trabajadores que se quedaron habían vigilado. Pero desde aquel día todo cambió. Corría la voz de que Isfahán no era ya un lugar seguro, y tampoco Baharestán, que la policía había recibido órdenes de repatriar a todos. Entonces llamé a Sufi, a Qom, a la fábrica donde trabajaba la piedra, y me dijo que allí, por el momento, las cosas estaban tranquilas.

Así fue como decidí reunirme con él. Esperé a que volviera *kaka* Hamid para despedirme, recogí mis cosas y me fui a la estación de autobuses.


*¿Cómo se puede cambiar de vida así, Enaiat? Una mañana. Una despedida.*

*Se hace y ya está, Fabio.*

*Una vez leí que la decisión de emigrar nace de la necesidad de respirar.*

*Así es. Y la esperanza de una vida mejor es más fuerte que cualquier sentimiento. Mi madre, por ejemplo, decidió que saberme en peligro lejos de ella, pero de viaje hacia un futuro diferente, era mejor que saberme en peligro cerca de ella, pero en el fango del miedo de siempre.*

Ya en el coche de línea, me senté al fondo, solo, con la bolsa apretada entre las piernas, sin haberme puesto de acuerdo con nadie —con ningún traficante, quiero decir— porque no tenía ganas de gastar mi dinero una vez más para pagarle a uno por hacerme llegar a mi destino sin problemas, y además porque ya había viajado antes a Qom para ver a Sufi, y todo había ido como la seda.

Era un día espléndido y me acurruqué en el asiento, la cabeza contra el cristal, a dormir un poco.

Había comprado un periódico iraní. Pensaba que si la policía nos paraba para un control y me veía dormir tranquilo con un diario iraní en el regazo, pensaría que yo era una persona de orden. A mi lado se sentó una chica con velo que usaba un buen perfume. Tres minutos después, partimos.

Estábamos casi a mitad de camino —dos mujeres charlaban con la chica, hablaban de una boda en la que habían estado; un hombre leía un libro mientras un niño pequeño, sentado a su lado, su hijo quizá, canturreaba una cancioncilla, una especie de trabalenguas—, estábamos casi a mitad de camino, decía, cuando el coche de línea frenó, lentamente al principio, luego con más fuerza, y por fin se paró.

Pensé que eran ovejas. Pregunté: ¿Qué pasa? Desde mi sitio no podía ver.

La chica respondió: Un control.

Telisia. Sang Safid.

El conductor del autobús apretó un botón y las puertas se abrieron con un silbido. Pasaron siglos y, no sé, el aire no se movía, nadie hablaba, ni siquiera los que no tenían nada que temer porque eran iraníes o porque tenían la documentación en regla, y luego el primer policía subió sin prisa. Entre los dedos apretaba una patilla de las gafas de sol, la otra la tenía en la boca.

Cuando los policías suben a un autobús, no piden la documentación a todo el mundo: saben perfectamente quiénes son iraníes y quiénes no. Están entrenados para reconocer a los afganos clandestinos, etcétera, y, si ven a uno, lo ponen inmediatamente en el punto de mira, se dirigen a él y le piden la documentación aunque sepan perfectamente que no la tiene.

Debía hacerme invisible. Pero no tenía esos poderes. Fingí dormir, porque cuando duermes es un poco como si no estuvieras, o sólo porque fingir que duermes es como fingir que no pasa nada, con la esperanza de que las cosas se resolvieran solas. Pero el policía demostró ser listo y me vio aun estando dormido. Me tiró de la camiseta. Seguí fingiendo que dormía e incluso me volví un poco hacia el otro lado, que es algo que suelo hacer, de noche. El policía me lanzó una patada a la espinilla. Entonces me desperté.

Ven conmigo, dijo. Ni siquiera me preguntó quién era.

¿Adónde?

No respondió. Me miró y se puso las gafas de sol, aunque el interior del coche de línea fuera el reino de la penumbra.

Cogí la bolsa. Pedí perdón a la chica que tenía al lado, si por favor me dejaba pasar, y al dejarla atrás sentí aún más su perfume. Recorrí el pasillo con el peso de los ojos de todos sobre la espalda, y sus miradas me quemaron el cuello. Apenas puse un pie en tierra, el autobús cerró las puertas y con el mismo silbido neumático de antes se fue. Sin mí.

Había un pequeño puesto de policía con un coche aparcado delante.

Telisia. Sang Safid.

Tambores en la noche.

Telisia. Sang Safid.

Puedo pagar, dije enseguida. Puedo pagar la repatriación. Tenía, en efecto, el rollo de los billetes ganados en la obra. Pero no me oyeron, o no sé. Uno de los policías, un iraní enorme, me empujó al otro lado de una puerta. Por una fracción minúscula de tiempo me imaginé una sala de tortura manchada de sangre y sembrada de fragmentos de huesos, un pozo salpicado de calaveras o un agujero que conducía al corazón de la tierra, pequeños insectos negros que se arrastraban por las paredes y salpicaduras de ácido en el techo.

¿Qué podía haber en aquella habitación?

Una cocina. Eso es lo que había.

Montañas de platos y ollas inmundas, para lavar.

Venga, a trabajar, dijo el iraní enorme. Ahí están los estropajos.

Empleé horas en ganar la batalla contra los restos de salsa y de arroz incrustado. Quién sabe cuántos años llevaban allí aquellas ollas esperándome. Mientras lavaba cubiertos y platos llegaron otros cuatro chicos afganos. Terminada la cocina, nos cogieron a los cinco y nos pusieron a descargar y cargar coches y furgonetas, y así sucesivamente: cuando había un equipaje o un remolque que controlar, los policías nos llamaban y nosotros corríamos a vaciarlo. Cuando acababa el control, volvían a llamarnos: había que poner otra vez en su sitio paquetes y maletas, cajas que amontonar, etcétera.

Estuve allí tres días. Si me cansaba, me sentaba en el suelo, la espalda contra la pared, la cabeza contra las rodillas. Si llegaba alguien y había que descargar y cargar, venía un policía. Nos lanzaba una patada y decía: Despierta. Nos levantábamos, y andando. La tarde del tercer día dejaron que me fuera. No sé por qué. Los otros cuatro chicos se quedaron allí y no los vi más.

A Qom llegué a pie.


Qom es una ciudad que tiene por lo menos un millón de habitantes —así lo descubrí después—, pero si contáramos a todos los clandestinos de las fábricas de piedras, bueno, creo que el número aumentaría al doble. Hay fábricas de piedras por todas partes. También yo, gracias a Sufi, empecé a trabajar en una, la misma en la que trabajaba él.

Éramos cuarenta, cincuenta personas. Me pusieron en la cocina: preparaba las comidas e iba a hacer la compra. A diferencia de lo que ocurría en Isfahán, en Qom yo era el único que salía de la fábrica —para ir a hacer la compra, precisamente—, algo que para mí era muy, muy arriesgado; pero no podía evitarlo.

Además de guisar, limpiaba y le quitaba el polvo al despacho del director de la fábrica. Y, si había otra cosa que hacer, como sustituir a alguien que estaba enfermo o transportar algo, me llamaban a mí. Gritaban: Ena. O ni se volvían siquiera y llamaban y basta, como si ya estuviera allí delante, como si tuviera la capacidad de materializarme apenas pronunciado mi nombre. En fin, era un pequeño todoterreno. Creo que se dice así.

A aquella fábrica llegaban rocas y había que cortarlas usando máquinas enormes, algunas tan grandes como mi casa de Nava. Había un ruido de locos, y agua por todas partes. Llevábamos botas (era obligatorio) y un delantal de plástico, y alguno incluso se cubría los oídos con auriculares, pero, con toda aquella agua por el suelo y aquel polvo de piedra en el aire, estar bien y evitar ponerse enfermo —como suele gustarle a la gente— era difícil; y no sólo estar bien, incluso seguir vivo era difícil. O entero.

De hecho sucedía, de vez en cuando, que algún obrero encargado de las maniobras de la máquina, aquellas máquinas enormes que desmenuzaban las piedras como terracota, que las cortaban como mantequilla, metía en la máquina un trozo del propio cuerpo: un brazo, una mano, una pierna. Trabajábamos mucho, incluso catorce horas al día, y cuando estás cansado las distracciones son frecuentes.

Un día vino un chico afgano, un poco mayor que yo. Dijo: ¿Cómo te llamas?

Enaiatollah.

¿Sabes jugar a la pelota, Enaiatollah?

Pensé que sí, sabía jugar a la pelota, aunque fuera mejor al *Buzul-bazi,* a pesar de que no jugaba desde que dejé Nava. Dije: Sí, sé jugar.

¿De verdad? Entonces preséntate mañana por la

tarde a las cinco en la cancela. Hay un torneo. Hacen falta jugadores nuevos.

¿Un torneo?

Sí. Entre las fábricas. Un torneo de fútbol. ¿Vendrás?

Por supuesto.

Bien.

El hecho, sí, el hecho es que al día siguiente era viernes. Digo esto porque en las fábricas de piedras la vida sólo era dormir, comer y trabajar, mientras que la única media jornada de descanso era el viernes por la tarde: había quien se lavaba la ropa y quien iba a ver a los amigos. Yo, desde ese día, jugué en el equipo de fútbol; todos afganos, como podéis imaginar, trabajadores de tres o cuatro fábricas vecinas. Los afganos que trabajaban la piedra eran más de dos mil.

Destaqué en aquellos partidos, todo lo que me fue posible. Aunque a veces estaba un poco cansado porque mi horario de trabajo acababa a las diez de la noche.


Llevaba algunos meses en la fábrica cuando, una tarde, mientras levantaba una piedra muy pesada, me desequilibré y la piedra cayó —una piedra de más de dos metros de largo— y mientras aquella piedra enorme se hacía pedazos contra el suelo, con un estruendo que se oyó en todo el cobertizo, un pedazo fue a romperse contra mi pie.

Me rompió los pantalones, me cortó las botas, me desolló la pantorrilla y me desgarró el dorso del pie produciéndome un corte profundo. Se veía el hueso. Grité. Me senté apretándome la pierna. Uno de los jefes de la fábrica corrió a ver. Dijo que aquella piedra era importantísima, etcétera, que teníamos que entregarla y que alguien pagaría con su cabeza por aquella piedra rota. Yo, mientras, perdía sangre.

Levántate, dijo el jefe.

Señalé que me había herido.

Primero hay que pensar en la piedra. Recoge los fragmentos. Ahora mismo.

Pregunté si podía curarme.

Ahora mismo, dijo. Y se refería a la piedra, no a curarme.

Empecé a recogerlo todo saltando sobre una pierna con la sangre que impregnaba los pantalones y chorreaba fuera de la bota. Pensad que ni siquiera me desmayé. No sabría decir cómo lo conseguí, probablemente hoy no sería capaz. Acabé de recoger los pedazos esparcidos y, luego, siempre saltando, fui a desinfectar y vendar la herida. Para hacerlo tuve que arrancar un trozo de carne. Tengo todavía la cicatriz. Y durante algún tiempo no pude jugar a la pelota.


Por la herida abierta y todo eso, durante cierto tiempo trabajé sólo en la cocina. Un día, mientras iba a hacer la compra, vi en un escaparate un reloj precioso, de goma y metal, que no costaba mucho. Ya he dicho —si no me equivoco— que pensaba a menudo en eso de tener un reloj, sólo para darle un significado al paso del tiempo, un reloj que señalara la fecha, que me dijera cuánto estaba envejeciendo. Así que cuando vi el reloj en cuestión, conté el dinero que llevaba en el bolsillo y, aunque no era mucho, descubrí que podía comprarlo.

Entonces entré y lo hice. Lo compré.

Al salir de la tienda, lo juro, no cabía en mí de alegría. Era el primer reloj de mi vida. Lo miraba, volvía a mirarlo y levantaba la muñeca para que el sol se reflejara en la esfera. Hubiera ido corriendo hasta Nava sólo para enseñárselo a mi hermano (qué envidia le hubiera dado), pero correr hasta Nava era un problema, así que corrí a que lo bendijeran en el santuario de Fátima al-Masuma, uno de los lugares más sagrados del islam chiíta y uno de los más adecuados —así lo creía— para bendecir algo a lo que se tiene mucho aprecio, como era el caso de mi reloj.

Este santuario está precisamente en Qom. Froté el reloj contra la pared, para purificarlo, pero teniendo cuidado de que no se rayara.

Me sentía tan feliz con aquel reloj que hubo un momento en el que incluso pensé que, a pesar del peligro de perder un dedo o qué se yo, quizá podría quedarme en Qom bastante tiempo.

Luego, una noche, llegaron los policías a la fábrica. Estaban ya organizados, con los camiones, para llevarnos a la frontera sin pasar siquiera por un centro de estancia temporal. Repatriación. Una vez más. No quería creerlo. Era desolador. La policía sabía que en aquella fábrica trabajaban muchos clandestinos. Echaron abajo la puerta del cobertizo donde dormíamos y nos despertaron a patadas.

Coged vuestras cosas. Os devolvemos a Afganistán.

Tuve tiempo de recoger mis cosas de la taquilla, el sobre con el dinero, y me arrastraron fuera. Pagamos la repatriación, como siempre. Esa vez, sin embargo, el viaje en camión fue horrible. Éramos tantas personas que quien estaba en los laterales corría continuamente el peligro de caerse entre las ruedas, y quien estaba en el centro corría el peligro de asfixiarse. Sudor. Respiraciones. Gritos. Es posible que murieran personas durante aquel viaje y nadie se diera cuenta.

Nos descargaron pasada la frontera, como esos camiones que descargan basura en los vertederos. Por un momento pensé no volver atrás y continuar hacia el oeste; al oeste estaba Nava, mi madre, mi hermana, mi hermano; al este estaba Irán, de nuevo, la misma precariedad, el mismo sufrimiento y todo lo demás. Por un momento pensé volver a casa. Luego me vinieron a la memoria las palabras de un hombre al que intenté darle una carta para mi madre, cuando vivía en Quetta, casi tres años antes. En aquella carta le pedía que viniera a recogerme. Pero el hombre la leyó y dijo: Enaiat, yo conozco bien vuestra situación, lo que está pasando en la provincia de Ghazni, y cómo tratan a los hazara. Debes considerarte afortunado por vivir aquí. Aquí estás mal, de acuerdo, pero al menos por la mañana puedes salir de casa con la esperanza de volver vivo por la noche, allí ni siquiera sabes, cuando sales, si a casa volverás antes tú o la noticia de tu muerte. Aquí puedes moverte entre la gente, vender tus cosas, mientras que en tu pueblo los hazara no pueden ni andar por la calle, porque si un talibán o un pastún se cruza con ellos y los ve, bueno, siempre encuentra algo que no está bien: la barba demasiado corta, el turbante mal puesto, la luz encendida en casa después de las diez de la noche. Continuamente corren el peligro de morir por una nadería, de que los maten por una palabra de más o por alguna regla sin sentido. Debes agradecerle a tu madre que te hiciera salir de Afganistán, había dicho aquel hombre. Porque hay muchos que no pueden hacerlo y que quisieran.

Me metí las manos en los bolsillos, me arrebujé en la chaqueta y fui a buscar a los traficantes.


Pero esa vez, en uno de los puestos de control en el camino de vuelta —uno de los puestos de control con soldados pagados por los traficantes— algo fue mal. Además de coger el dinero pactado, los policías empezaron a saquearnos también a nosotros, registrándonos. Tú dirás: ¿Y qué os iban a robar? Erais unos miserables. Pero incluso al que no tiene nada se le puede quitar algo. Yo, por ejemplo, tenía el reloj. Era *mi* reloj, y le tenía más aprecio que a cualquier otro objeto o qué se yo. Sí, es verdad, con el dinero incluso podía volver a comprarme uno, pero no hubiera sido lo mismo, habría sido *otro* reloj: aquél era mi *primer* reloj.

Un policía nos había puesto en fila contra un muro y estaba pasando para controlar que todos hubiéramos vaciado los bolsillos y cuando veía a alguien comportarse de un modo extraño, o moverse sin permiso, o poner esa cara rara —¿sabéis lo que os digo?—, la cara de uno que tiene algo que esconder, etcétera, se acercaba, nariz contra nariz, escupía amenazas y trozos de cena, y, si las amenazas y los escupitajos no bastaban, pasaba a las bofetadas o a la culata del fusil. Cuando llegó a mí, parecía que iba a seguir adelante, pero entonces se detuvo y volvió atrás. Se plantó frente a mí, con las piernas abiertas. Preguntó: ¿Qué tienes? ¿Qué estás escondiendo? Era treinta o cuarenta centímetros más alto que yo. Lo miré como se mira una montaña.

Nada.

Estás mintiendo.

No estoy mintiendo, *jenab sarhang*.

¿Quieres que te demuestre que estás mintiendo?

No estoy mintiendo, *jenab sarhang*. Lo juro.

Pues yo creo que sí.

Bueno, si hay algo que no me gusta es que me peguen, así que, habiéndolo visto pegarles a los otros, pensé que podía contentarlo de alguna manera. En el cinturón, en un corte que yo había hecho, tenía dos billetes de reserva. Los cogí y se los di. Esperaba que fuera suficiente.

Él dijo: Tienes algo más, ¿verdad?

No. No tengo nada más.

Me soltó una bofetada. Me dio en la mejilla y la oreja. Ni siquiera vi salir la mano. La mejilla me ardía como fuego, el oído me zumbó durante unos segundos, luego tuve la impresión de que se estaba hinchando como un pan. Estás mintiendo, dijo.

¿Le salté al cuello, le mordí la mejilla, le arranqué el pelo? No: le enseñé la muñeca.

Hizo una mueca de desilusión. No valía nada, para él, aquel reloj. Me lo quitó, fastidiado, y se lo metió en el bolsillo, sin dirigirme ni una mirada.

Dejaron que nos fuéramos.

Los oí reír a la luz descarnada de la mañana.

Pasada aquella aduana, caminamos durante algunas horas hacia la ciudad más próxima, pero ya estaba claro que algo no marchaba por donde debía. Y, de pronto, apareció un coche, un furgón de la policía, salpicando piedras con las ruedas, y los policías bajaron a la carrera, gritando: Deteneos. Todos echamos a correr. Empezaron a disparar con el fusil ametrallador, el kalashnikov. Corría y oía silbar las balas. Corría y pensaba en los torneos de cometas en las colinas de la provincia de Ghazni. Corría y pensaba en las mujeres de Nava que mezclaban con un cucharón de madera el *qhorma palaw*. Corría y pensaba en lo útil que habría sido en aquel momento un agujero, un agujero en la tierra, como aquel en el que nos escondíamos mi hermano y yo para que no nos encontraran los talibanes. Corría y pensaba en *osta sahib* y en *kaka* Hamid y en Sufi y en el señor de las manos grandes y en la casa bonita de Kermán. Corría y mientras corría un señor, a mi lado, fue alcanzado, creo, y cayó a tierra y no volvió a moverse. En Afganistán había oído muchos disparos. Sabía distinguir el sonido del kalashnikov del de los otros fusiles. Corría y pensaba en cuál era el fusil que disparaba contra mí. Yo era pequeño. Pensé que era más pequeño que las balas, más veloz. Pensé que era invisible, o inconsistente, como el humo. Luego, cuando dejé de correr porque ya estaba lo bastante lejos, pensé en irme. No quería volver a tener miedo, no.

Fue en aquel momento cuando decidí que iba a intentar llegar a Turquía.

# Turquía

Aclaremos ahora en qué punto me encontraba en el tiempo y en la historia. Estaba en un punto de no retorno, como decís vosotros —porque nosotros no lo decimos, o por lo menos yo nunca lo he oído decir—, estaba en un punto de no retorno hasta tal punto (y punto) que incluso los recuerdos habían dejado de volver, y había días enteros, y semanas, que ni pensaba en mi aldea de la provincia de Ghazni, ni en mi madre, mi hermano y mi hermana, como hacía al principio, cuando su imagen era un tatuaje en mis ojos, día y noche.

Desde el día en que me fui habían pasado más o menos cuatro años y medio: un año y algunos meses en Pakistán y tres años en Irán; pero esto por ajustar las cuentas «a peso corrido», como dice una señora que vende cebollas en el mercado que hay cerca de la casa donde vivo ahora.

Andaba por los catorce y quizá, bueno, superaba ya mis primeros catorce años, cuando decidí que me iba de Irán: estaba hasta la coronilla de aquella vida.

Sufi y yo, después de la segunda repatriación, habíamos vuelto, pero él dejó Qom pocos días después, porque, según su opinión, se había convertido en una

ciudad demasiado peligrosa, así que encontró trabajo en Teherán, en una obra. Yo, no. Yo decidí quedarme a trabajar un tiempo en la misma fábrica de
piedras, trabajar mucho y no gastar ni una moneda,
pensando en ahorrar lo suficiente para pagarme el
viaje a Turquía. Pero ¿cuánto costaba ir a Turquía?
Llegar, sobre todo, que es lo más importante (de irse
son capaces todos): ¿cuánto tendría que gastarme?
Para saber las cosas a veces sirve preguntar: les pregunté a algunos amigos de confianza.

Setecientos mil *toman*.

¿Setecientos mil *toman*?

Sí, Enaiat.

Son diez meses de trabajo, le dije a Wahid, que
una vez había pensado en irse y luego no se había ido.
Mi sueldo en la fábrica era de setenta mil *toman* al
mes. Son diez meses sin gastar ni una monedilla, dije.

Asintió, pescando con la cuchara en el potaje de
garbanzos, soplándolo para no quemarse la lengua.
También yo metí la cuchara. Minúsculas semillas
negras flotaban desperdigadas en la superficie grasienta junto con migajas de pan; primero las aparté
con la punta de la cuchara creando remolinos y co-
rrientes, luego las recogí, me las tragué y acabé la
comida bebiendo directamente de la taza.


¿Cómo encontrar todo ese dinero?


Una tarde, un viernes, que como ya he dicho era
nuestro día para hacer lo que nos pareciera y que yo

pasaba en un eterno e inconmensurable —¿se dice así?— campeonato de fútbol contra los equipos de las fábricas vecinas, sí, un viernes este amigo con quien había hablado de los traficantes en la cena se acercó a la piedra en la que me había tendido para recuperar el aliento, con una mano en la barriga, y me preguntó si me importaba escucharlo un segundo.

Me incorporé. No estaba solo. Había otros afganos con él.

Me dijo: Oye, Enaiat. Hemos hablado. Queremos irnos a Turquía, y hemos ahorrado bastante dinero como para pagar el viaje, e incluso pagártelo a ti, si quieres. Y no lo hacemos sólo por fraternidad, etcétera, dijo, sino también porque cuando se viaja con amigos las posibilidades de que todo vaya bien son mayores que cuando se viaja solo, sin nadie a quien pedir ayuda en caso de peligro. Luego hizo una pausa, durante la que el equipo que había saltado al campo después de nosotros marcó un gol y todos gritaron de alegría. ¿Qué dices?

¿Qué digo?

Sí.

Que os lo agradezco y acepto. ¿Qué otra cosa puedo decir?

Es un viaje peligroso, ¿lo sabes?

Lo sé.

Mucho más peligroso que los otros.

La pelota salió rebotada contra la piedra y se detuvo entre mis pies. La devolví de una patada, con la puntera. El sol había conquistado cada rincón del cielo, el azul no era azul sino amarillo, las nubes doradas y sangrantes por las heridas que les hacían los montes. Donde las peñas machacan. Donde la nieve corta y ahoga.

Aún no sabía que la montaña mata.

Arranqué una brizna de hierba seca y empecé a chuparla.

Nunca he visto el mar, dije. Hay un montón de cosas que todavía no he visto en mi vida y que quisiera ver, y si a esto añadimos que también aquí, en Qom, cada vez que pongo un pie fuera de la fábrica, aquí también es peligroso, bueno, ¿sabéis lo que os digo? Estoy dispuesto a todo.

La voz era firme. Pero por mi inconsciencia. Si hubiera sabido lo que me esperaba, no me hubiera ido. O quizá sí. No lo sé. Pero seguro que hubiera dicho aquello de otra manera.


Habíamos oído. Todos lo habíamos hecho. Habíamos oído las historias de quien se había ido y había vuelto. Y sabíamos de aquellos que no lo lograron por las historias de sus compañeros de viaje, que quizá habían sobrevivido sólo para compartir con nosotros un cargamento de relatos atroces. Era como para pensar que el gobierno dejaba vivo a uno o dos de cada caravana para espantar a los otros. Había quien se quedaba congelado en las montañas, quien moría a manos de los policías de la frontera, quien se ahogaba en el mar entre las costas de Turquía y las de Grecia.

Un día, en un descanso después de la comida, incluso hablé con un chico que tenía media cara deshecha, de verdad, reducida a carne de hamburguesa;

como esas del McDonald's dejadas demasiado tiempo en la plancha.


*¿McDonald's?*

*Sí, McDonald's.*

*Tiene gracia. Unas veces dices cosas del tipo: era alto como una cabra. Otras veces, cuando pones ejemplos, echas mano del McDonald's o del béisbol.*

*¿Por qué tiene gracia?*

*Porque pertenecen a culturas diferentes, a mundos lejanos. Por lo menos, eso parece.*

*Aunque fuera verdad, Fabio, ahora los dos están dentro de mí, esos mundos.*


Me contó que la camioneta en la que viajaba por Capadocia tuvo un accidente. En una curva, por una carretera excavada en la montaña, en la provincia de Aksaray, se había estrellado contra una furgoneta cargada de limones. Había salido lanzado y se había desollado la cara con la tierra. Luego lo cogieron los policías turcos y le dieron un montón de palos. Y, cuando lo entregaron a los policías iraníes, también éstos le dieron un montón de palos. Así, su viaje a Europa (quería llegar a Suiza) se había transformado, como sus sueños, en una papilla de carne y sangre. Me decía: Yo te prestaría dinero para el viaje, pero no te lo presto porque no quiero ser responsable de tu dolor. Y también otros decían lo mismo que él, pero no estoy seguro de que fueran sinceros, quizá eran tacaños y punto.

Pero a mí me bastaba con que llegaran buenas noticias de uno solo. Me bastaba oír: ése ha podido, lo consiguió, ha llegado a Turquía, a Grecia, a Londres, y entonces inmediatamente me dejaba llevar por el valor. Si él lo ha conseguido, también puedo conseguirlo yo, pensaba.

Nos juntamos cuatro decididos a partir. Luego descubrimos que Farid, un chico que trabajaba en una fábrica detrás de la nuestra, también tenía intención de dejar Qom. Y no sólo eso: el traficante con el que pensaba hablar era su primo. Comentamos que era una ocasión que no podíamos perder, que si el traficante era de verdad su primo sería de confianza, y que, si él viajaba con nosotros, nos convertiríamos en amigos del primo y como tales seríamos tratados.

Un día, acabado el turno de trabajo, un día como tantos, pusimos nuestras cosas dentro de una mochila de tela, nos despedimos del jefe de la fábrica, le pedimos lo que nos debía y en un autobús de línea, con el miedo de siempre a los puestos de control, llegamos a Teherán. En la estación nos esperaba el primo de nuestro amigo. Nos llevó a su casa en un taxi, uno de esos taxis múltiples con un montón de gente dentro.

En el comedor, con una taza de *chay* delante, nos dijo que teníamos dos días para procurarnos algo de comida para el viaje —comida que ocupara poco, pero nutritiva, como frutos secos, tipo almendras y pistachos— y comprar un par de zapatos de abrigo, de montaña, y ropa caliente e impermeable: Es importante que sea impermeable, subrayó. Y también ropa bonita, para ponérnosla en Estambul. No podíamos andar por la ciudad con la ropa del camino, destrozada y maloliente. Debíamos comprar todo eso, sí, pero sobre todo los zapatos. El primo de nuestro amigo insistió mucho en eso.

Fuimos entonces al bazar a hacer nuestras compras, etcétera, y había una euforia en el aire que no sabría explicar. A la vuelta le enseñamos los zapatos al traficante para saber si servían. Los levantó, comprobó las costuras, plegó la suela, los miró por dentro y todo, y dijo que sí, que servían perfectamente.

No era verdad.

Lo decía de buena fe —estoy seguro, por el primo— y lo decía de buena fe porque creía saber cómo sería nuestra caminata entre las montañas, pero no lo sabía en absoluto, porque él nunca había estado allí. Sólo tenía que llevarnos hasta los otros. Era un intermediario. Era a él a quien, llegados a Turquía, había que telefonear para decirle: Hemos llegado. De forma que los amigos a quienes, en Qom, habíamos dejado el dinero se lo entregaran.

Con los zapatos levantados hacia la luz, la luz que entraba por la ventana, dijo: Haréis un viaje de tres días. Los zapatos son fuertes y adecuados. Muy bien. Excelente compra.


A la mañana siguiente llegó un iraní con un taxi. Nos llevó a una casa fuera de la ciudad donde esperamos. Una hora después llegó un autobús —el conductor era un cómplice— cargado de pasajeros que no entendían bien adónde habían ido a parar. A un golpe de claxon nosotros salimos de la casa y subimos al coche de línea, entre las caras estupefactas de las mujeres y los niños, y también de algunos hombres que intentaron protestar, aunque los callaron enseguida.

Nos dirigimos hacia Tabriz (lo sé porque pregunté). Nos dirigimos hacia la frontera y, pasada Tabriz, costeamos el lago de Urmia, que, para quien no lo sepa, está en pleno Azerbaiyán iraní, sólo por dar las coordenadas, y es el lago más grande del país: en el periodo de crecida mide ciento cuarenta kilómetros de largo y cincuenta y cinco de ancho.

Me había casi adormilado cuando uno de mis compañeros de viaje me dio con el codo. Dijo: Mira.

¿Qué?, pregunté, sin abrir los ojos.

El lago. Mira el lago.

Volví la cabeza y entreabrí lentamente un párpado, con las manos entre las piernas. Miré por la ventanilla. Un sol bajo iluminaba el agua, al atardecer, y se divisaban decenas y decenas de pequeñas islas rocosas a contraluz y, sobre las islas, tanto en la tierra como en el aire, puntos. Miles de puntos.

¿Qué son?

Pájaros.

¿Pájaros?

Aves migratorias. Me lo ha dicho un hombre, el que está sentado delante. ¿Verdad que son pájaros, *agha sahib*?, preguntó, dándole en el hombro.

Flamencos, pelícanos y muchas otras especies, enumeró él. En una de estas islas está enterrado Hulagu Khan, nieto de Gengis Khan y conquistador de

Bagdad. Así que aves y fantasmas. Será por eso que en el lago no hay peces.

¿Ninguno?

Ni uno siquiera. Malas aguas. Buenas sólo para el reumatismo.

Había anochecido cuando llegamos a Salmas, la última ciudad de Irán, la más próxima a las montañas. Nos bajaron del autobús, nos dijeron que permaneciéramos callados y juntos, y sin linternas ni nada empezamos a caminar.


Por la mañana, temprano, en el silencio y a la luz blanca del alba, llegamos a una aldea.

Había una casita, y entramos como si fuera nuestra, pero no era nuestra, era de una familia. Una especie de punto de encuentro para los clandestinos que querían pasar las montañas. Un grupo estaba ya allí y poco después llegaron más: afganos. Al final éramos treinta. Estábamos asustados. Nos preguntábamos cómo sería posible atravesar las montañas, siendo tantos, sin que nos vieran. Lo preguntamos, pero sin recibir respuesta, y cuando insistimos nos dieron a entender que era mejor no insistir, y así, siempre esperando, nos quedamos en aquel refugio dos días.

Luego, la tarde del segundo día, al anochecer, nos dijeron que nos preparáramos. Salimos bajo un cielo estrellado y una luna tan grande que no había necesidad de luces, antorchas ni ojos de búho. Se veía perfectamente. Caminamos una media hora entre campos y pequeños senderos invisibles para quien no los conociera. Al final de una primera subida, de detrás de una gran roca surgió un grupo de personas. Nos asustamos, y alguien gritó que eran soldados. Pero eran treinta clandestinos. No dábamos crédito a nuestros ojos. Ahora éramos sesenta, sesenta en fila por los senderos de las montañas. Aunque no había acabado. Media hora después, otro grupo. Estaban agazapados en el suelo, a la espera de nuestra llegada. Cuando nos contamos, cuando por fin pudimos, durante una breve parada en la noche cerrada, éramos setenta y siete.


Nos dividieron por etnias.

Además de nosotros, los afganos, que éramos los más jóvenes, había kurdos, pakistaníes, iraquíes y algunos bengalíes.

Nos dividieron para evitar problemas, en lo posible, dado que se caminaba todo el día hombro con hombro, codo con codo, a pasos distintos, pero a la misma velocidad, y cuando vives una situación de fatiga e incomodidad como aquélla, con poca comida y poca agua y ningún sitio donde refugiarse y mucho frío, en cambio, mucho, mucho frío, bueno, las discusiones y las peleas están siempre a la vuelta de la esquina, al acecho, y las puñaladas también, así que es mejor mantener separadas a las etnias hostiles.

Después de una hora, por un camino sin asfaltar y en muy malas condiciones, en mitad de la cuesta, nos paró un pastor acompañado por un perro que giraba sobre sí mismo como un loco para morderse la cola; el perro, no el pastor. Pidió hablar con el jefe de la expedición, que sin pensárselo mucho cogió dinero de la chaqueta y le pagó para que no nos denunciara. El pastor contó el dinero lentamente, muy lentamente. Luego se lo metió en el sombrero, y nos hizo una señal para que siguiéramos.

Cuando pasé a su lado, el viejo me miró a los ojos, como para decirme algo. No entendí qué.

De noche avanzábamos.

De día dormíamos. O se intentaba.

Al final del tercer día, dado que el traficante, el primo de nuestro amigo, en Teherán, nos había dicho que el viaje duraría tres días y tres noches, queríamos saber cuánto tiempo faltaba para alcanzar la cima de la montaña —a nosotros nos parecía siempre igual de lejos— y empezar el descenso hacia Turquía, pero teníamos todos miedo de hacer preguntas, así que lo echamos a suertes. Me tocó a mí.

Me acerqué a uno de los contrabandistas. Pregunté: *Agha,* por favor, ¿cuánto falta para la cima de la montaña?

Sin mirarme, respondió: Unas horas.

Volví con mis amigos y dije: Unas horas.

Caminamos hasta poco antes del alba, luego nos detuvimos. Los músculos de las piernas estaban duros como cemento.

Al anochecer, como siempre, reanudamos la marcha.

Te ha mentido, me dijo Farid.

Me he dado cuenta, dije yo, gracias. Pero tampoco tu primo fue muy preciso cuando nos dijo cuánto íbamos a tardar.

Debes preguntarle a otro.

Media hora después me acerqué a otro iraní, uno con el kalashnikov en bandolera. Amoldé mi paso al suyo y le pregunté: *Agha,* por favor, ¿cuánto falta para la cima de la montaña?

Sin mirarme, respondió: Poco.

¿Cuánto quiere decir poco, *agha*?

Antes del alba.

Volví atrás con mis amigos, dije: Falta poco, si caminamos a buen ritmo llegaremos antes del alba.

Todos sonrieron, pero ninguno dijo nada. La fuerza para hablar salía de los pies y de la nariz, estaba escondida en las nubes de vapor que se materializaban delante de los labios. Nos destrozamos las rodillas hasta que el sol salió hacia mi casa, en dirección a Nava. La cima de la montaña estaba allí, a un paso de nosotros, a la distancia de un salto. Dábamos vueltas a su alrededor. Ella no se movió. Descansamos. Cuando los rayos del sol iluminaban los picos irregulares, que parecían la espina dorsal de un muerto, la caravana se detenía. Todos buscábamos una roca bajo la que meter la cabeza, para tenerla a la sombra y dormir unas horas. Las piernas y los pies los dejábamos al sol, para calentarlos y secarlos. Se nos pelaba la piel, pero qué importaba.

Al anochecer nos levantaron y volvimos a ponernos en camino, otra vez. Era la quinta noche.

*Agha,* por favor, ¿cuánto falta para la cima de la montaña?

Un par de horas, respondió sin mirarme.

Me uní al grupo.

¿Qué te ha dicho?

Nada. Calla y anda.

Los afganos éramos los más jóvenes y los más acostumbrados a las piedras y a las alturas. Al sol que te quema y a la nieve que te congela. Pero aquella montaña era inagotable, un laberinto. La cumbre estaba siempre ahí, pero no la alcanzábamos nunca. Uno tras otro, como de las piedras de hielo, fueron goteando diez días y diez noches.

Un chico bengalí, una mañana temprano —aún había oscuridad y trepábamos por las rocas usando las manos y las rodillas— tuvo un problema, no sé cuál, quizá de respiración, o del corazón y resbaló varios metros por la nieve. Empezamos a gritar que uno se estaba muriendo, que había que parar a ayudarlo, esperar, pero los traficantes (eran cinco) dispararon al aire con los kalashnikov.

El que no siga andando inmediatamente se queda aquí para siempre, dijeron.

Intentamos ayudar al chico bengalí, sostenerlo por los brazos y las axilas, hacerlo andar, pero era demasiado: él pesaba demasiado, nosotros estábamos demasiado cansados, todo demasiado. No fue posible. Lo abandonamos. Cuando desaparecimos detrás de una curva, seguí oyendo su voz durante un instante. Y luego nada más: el viento se la tragó.


El decimoquinto día hubo cuchilladas entre un kurdo y un paquistaní, pero no sé la razón, quizá la comida, quizá sin motivo. El kurdo se llevó la peor parte. A él también lo abandonamos.

El decimosexto día, por primera vez, hablé con un chico paquistaní poco mayor que yo (lo normal era que entre afganos y paquistaníes no se hablara mucho). Caminando —estábamos en una de esas zonas en las que el viento permitía hablar— le pregunté adónde se dirigía y qué pensaba hacer, adónde iría cuando llegáramos a Estambul. No respondió inmediatamente. Era retraído y taciturno. Me miró como si no estuviera seguro de haber entendido la pregunta, con una cara —¿cómo decirlo?—, con una cara de ¡pero qué tontería! Londres, dijo, apretando el paso para dejarme atrás. Más tarde entendí que era así con todos los paquistaníes. No decían Turquía o Europa. Decían Londres, punto. Si alguno tenía un día bueno y de rebote me respondía: ¿Y tú? Yo decía: A cualquier sitio.

El decimoctavo día vi personas sentadas. Las vi a lo lejos y no entendí inmediatamente por qué se habían parado. El viento era una cuchilla y partículas de nieve me obstruían la nariz, y cuando intentabas cogerlas con los dedos ya no estaban. Detrás de una curva cerrada, de pronto, me encontré de frente a las personas sentadas. Estaban sentadas para siempre. Estaban congeladas. Estaban muertas. Llevaban allí quién sabe cuánto tiempo. Los demás pasaron a su lado, en silencio. Yo, a uno, le robé los zapatos, porque los míos estaban destrozados y los dedos de los pies se me habían puesto morados y ya no los sentía, ni siquiera si los golpeaba con una piedra. Le quité los zapatos y me los probé. Me venían bien. Eran mucho mejor que los míos. Hice un gesto con la mano en señal de agradecimiento. De vez en cuando sueño con aquello.

Todos los días, dos veces al día, nos daban un huevo, un tomate y un trozo de pan. Las provisiones

llegaban a caballo. Pero ahora estábamos a demasia-
da altura para subir y bajar. El vigésimo segundo día
nos distribuyeron la última ración. Nos dijeron que la
dividiéramos en trocitos para que durara, aunque un
huevo, un huevo cocido, sea difícil de trocear.

Los otros me empujaron, me animaron: Pregunta, me decían.

¿De qué sirve?, respondía yo.

No importa, tú pregunta.

¿Vamos a llegar ya?, pregunté a un traficante.

Él dijo: Sí, ya llegamos. Pero yo no lo creí.

Y, entonces, el vigésimo sexto día, la montaña acabó. Un paso, otro paso, otro más, y de repente habíamos dejado de subir: no había nada más que escalar,
habíamos llegado a la cima, al lugar del intercambio
entre iraníes y turcos. En aquel punto, por primera
vez desde el principio, volvimos a contarnos. Falta-
ban doce personas. Doce, del grupo de setenta y siete,
habían muerto durante el camino. Bengalíes y paquistaníes, sobre todo. Desaparecidos en el silencio, y
yo ni siquiera me había dado cuenta. Nos miramos
unos a otros como si nunca nos hubiéramos visto,
como si no hubiéramos sido nosotros los que habíamos hecho el camino. Teníamos la cara destrozada,
roja. Arrugas que eran cortes. Las grietas sangraban.

Los turcos que nos esperaban allí hicieron que
nos sentáramos en el suelo en círculos concéntricos,
para defendernos del frío. Cada media hora debíamos cambiarnos de sitio; quien estaba en el centro
debía trasladarse al exterior, de manera que todos se
calentaran y todos recibieran en la espalda el viento
frío del mundo.

El vigésimo séptimo día —que era el vigésimo séptimo lo sé porque llevo aquellos días alrededor del cuello como las cuentas de un collar, uno a uno— descendimos de la montaña y la montaña se transformó lentamente en colinas, bosques y prados y arroyos y campos y todo cuanto hay de maravilloso en la tierra. Donde no había árboles nos obligaban a correr en grupos, agachados. A veces disparan, decían.

¿Quiénes?

No importa. A veces disparan.

Dos días después —dos días más, dos días como dos años o dos siglos— llegamos a Van.


También Van tiene su lago. El lago de Van. Fue el nuestro un viaje de un lago a otro lago. En esa ciudad turca, la primera ciudad turca en que nos deteníamos, nos metimos en un campo y dormimos una noche sobre la hierba alta. Algunos campesinos turcos, bastante cordiales, amigos de los traficantes, nos llevaron comida y bebida. Tenía ganas de cambiarme de ropa, la que llevaba estaba sucia y rota, trapos para fregar el suelo, pero la ropa bonita comprada en Teherán tenía que guardarla para Estambul, no podía arriesgarme a apestarla o a quién sabe qué antes de tiempo, no podía de ninguna manera.

Antes del alba nos hicieron salir de la hierba como grillos, nos cargaron en un camión y nos llevaron a un lugar no muy lejos. Era una especie de establo, enorme y con el techo altísimo, un establo que en vez de vacas albergaba a clandestinos, y a los afganos nos pusieron a dormir junto a los paquistaníes, lo que no

ban muertas. Pero era una falsa alarma: no sé lo que fue.

A partir de cierto momento, dejé de existir; dejé de contar los segundos, de imaginar la llegada. Lloraban los pensamientos y los músculos. Lloraban el entumecimiento y los huesos. Olores. Recuerdo los olores: meados y sudor. Gritos, de vez en cuando, y voces en la oscuridad. Había transcurrido no sé cuánto tiempo cuando oí a alguien lamentarse de manera horrenda, como puede lamentarse alguien a quien le están arrancando las uñas. Pensé que era un sueño, al principio, pensé que no era verdadera aquella voz ronca que se fundía con el estruendo del motor del camión, pero no. Decía: agua. Sólo eso: agua. Pero lo decía de una manera que no sé explicar. Sabía quién era, lo había reconocido. Empecé yo también a gritar agua, por hacer algo, a decir socorro, hay uno que se muere, pero nada, ni una respuesta. Bébete tu orina, dije, porque no dejaba de llorar, pero no lo oyó, o no sé. No respondió. Seguía lamentándose. Era insoportable. Así que me deslicé sobre la barriga, pasando sobre los cuerpos de las personas que, mientras reptaba, me daban puñetazos y pellizcos, como es justo, dado que los estaba aplastando. Llegué al chico. No lo veía, pero busqué la cara con las manos, la nariz, la boca. Se lamentaba, repetía agua, agua, agua. Pregunté a algunos de alrededor si les quedaba algo en las botellas, que la mía se había acabado, pero todos se habían bebido hasta la última gota. Repté otra vez sobre los cuerpos hasta que encontré a un chico bengalí que dijo que sí, que le quedaba todavía agua en el fondo de la botella, pero que no, que no la daría. Le dije: Por favor. Dijo que no. Le imploré, sólo un sorbo. Dijo que no y, mientras decía no, estuve atento para localizar de dónde provenía su no. Lancé un puñetazo directo hacia el no. Sentí los dientes contra el puño y mientras gritaba lo cubrí de bofetones, pero no por hacerle daño, sólo para encontrar la botella. En cuanto la toqué, la agarré y desaparecí, cosa que, allí dentro, era lo más fácil del mundo, desaparecer. Le llevé el agua que quedaba, y eso hizo que me sintiera bien, al menos por un momento, hizo que me sintiera humano.

Duró tres días. Nunca salimos. Nunca abrieron.

Después, una luz.

Eléctrica.


Me han explicado que es como despertarse de una anestesia total. Los contornos de las cosas están desenfocados, y te sientes rodar monte abajo, como dentro de una rueda, como sucedía en Telisia y Sang Safid. Nos bajaron rodando porque nadie podía mover ni el meñique de una mano. La circulación estaba cortada, los pies hinchados, el cuello bloqueado. Empezaron por los más próximos al portón, los lanzaron como sacos de cebollas; luego dos turcos entraron panza abajo en el doble fondo y también nos cogieron a nosotros, que de allí no nos hubiéramos movido jamás. Cada gesto producía sufrimientos terribles.

Me empujaron a un rincón y me quedé acurrucado no sé cuánto tiempo. Era una maraña de carne.

Luego los ojos se acostumbraron, poco a poco, y

vi dónde estaba. En un subterráneo, un garaje, con centenares y centenares de personas. Debía de ser una base de clasificación de inmigrantes, o algo así; una caverna en la barriga de Estambul.

Cuando por fin estuve en condiciones de moverme y de respirar busqué un sitio para hacer pis, todo el que no había podido hacer durante el viaje, todo el que me había estado aguantando durante tres días. Me indicaron un baño, el único, un agujero en el suelo. Entré y un dolor fortísimo me sacudió las piernas y el estómago y tuve miedo de desmayarme. Cerré los ojos en busca de fuerzas, cerré los ojos y cuando los abrí vi que el pis era rojo.

Estaba meando sangre; meé sangre algunas semanas.

Los otros hacían cola ante un teléfono. Cada uno tenía que telefonear a su traficante, en Irán, a aquel con el que hubiera tratado al principio del viaje; en mi caso, el primo de Farid. Teníamos que llamar al traficante y a la persona que tuviera en depósito nuestro dinero para que fuera a pagarle.

Cuando el pago había sido hecho, en ese momento, sólo en ese momento, el intermediario iraní llamaba a sus cómplices turcos, en Estambul, en aquel garaje, para decir que todo se había hecho correctamente y que podían liberar a los prisioneros: a nosotros.

¿Sí? Enaiatollah Akbari. Estoy en Estambul.

Tres días después me vendaron los ojos y me subieron en un coche con otros chicos afganos. Nos dieron unas cuantas vueltas por la ciudad para que no supiéramos de dónde habíamos salido, de qué agujero habíamos sido vomitados, y por fin nos dejaron en un parque. Pero no a todos juntos. A uno aquí y a otro allí.

Para quitarme la venda esperé a que el coche se fuera. A mi alrededor tenía las luces de la ciudad. A mi alrededor tenía la ciudad. Comprendí —sólo fui de verdad consciente en aquel momento— que lo había conseguido. Me senté en una tapia y me quedé inmóvil durante horas, con la mirada fija, en aquel lugar que no conocía. Olía a frito y a flores. Y a mar. Y quizá era yo el que ya no era el mismo, o era Estambul la que era distinta, o Turquía, no lo sé, pero el hecho es que estuve durmiendo en el parque sin encontrar casa, una casa de verdad, quiero decir, un montón de tiempo, yo que, desde el *samavat* Qgazi en adelante, siempre me había buscado un sitio donde descansar los huesos por la noche.

Allí, nada.

Intenté entrar en contacto con la comunidad afgana, pero con escasos resultados. En cambio, descubrí que había un sitio, cerca de un bazar, una zona de derribos en dirección al Bósforo, donde se podía ir por la mañana temprano con la esperanza de encontrar trabajo. Se quedaba uno sentado, a la espera, hasta que llegaba alguno, alguno que bajaba de un coche y decía: Te ofrezco tal trabajo por tanto dinero. Si decías que sí, te levantabas e ibas con él. Trabajabas todo el día, trabajabas duro, y por la noche te pagaban lo acordado, etcétera.

Era mucho más difícil que te tocara en suerte una vida digna en Estambul que en Irán. Y alguna vez me dije: ¿Qué he hecho? Y luego me venían a la mente las repatriaciones a Herat y todo lo demás, los puestos de control, el pelo rapado, y entonces pensaba que en el fondo en aquel parque de Estambul estaba bien. Una ducha en la casa de alguno. La comida recogida por ahí. Los días fluían sobre mí y la vida alrededor, como un río. Me estaba transformando en un escollo.

Una noche, después de un partido de fútbol en los callejones, unos chicos afganos más pequeños que yo me contaron que pronto se irían a Grecia. Trabajarían para una fábrica que cosía ropa, y después de varios meses de trabajo gratuito quien los había puesto en contacto con la fábrica iba a ayudarles a llegar a Grecia.

¿Cómo?

En una lancha neumática.

¿Otro viaje? Pensé en la montaña. Pensé en el doble fondo del camión. Pensé: ahora el mar. Me daba miedo. Yo me mantenía a flote a duras penas en las pozas del río. En el gran mar, el Mediterráneo, me ahogaría. Quién sabe qué escondía el mar.

Quiero encontrar trabajo en Estambul, dije.

No lo encontrarás.

Quiero intentarlo.

No hay trabajo para nosotros, aquí en Turquía. Debemos ir al oeste.

Quiero encontrar trabajo en Estambul, repetí. Y eso fue lo que seguí intentando un par de meses más. Lo intenté con todas mis fuerzas, pero no era fácil, no, no era fácil en absoluto. Y cuando algo es tan poco fácil que se convierte en imposible sólo queda dejar de intentarlo y pensar en una alternativa. ¿O no?

Cuando estuvo cerca el día fatídico en que aquellos chicos afganos debían partir hacia Grecia, yo casi me había convencido de que, quizá, habría hecho mejor aceptando su invitación. Pero ya era tarde. Ellos habían trabajado para pagarse el viaje.

Entonces, bueno, me inventé una mentira. Dije: Si queréis ir a Grecia es mejor que vaya con vosotros, porque puede ser que allí necesitéis a alguien que hable inglés, y yo hablo inglés. Dije: Si pagáis también mi viaje, y voy con vosotros, podréis comunicaros con los griegos, pedir ayuda o información o cualquier otra cosa. ¿Qué decís? Os sería útil. Esperaba que picaran, porque todos eran más pequeños que yo y, por tanto, mucho menos astutos en asuntos de la vida.

¿De verdad?, dijeron ellos.

¿De verdad qué?

¿De verdad hablas inglés?

Sí.

A ver, habla.

¿Qué queréis que diga?

Algo en inglés.

Entonces dije una de las pocas palabras que conocía: *house*.

¿Qué significa?

Casa, dije yo.

Y ellos aceptaron.

*¿Dónde has aprendido inglés?*

*De la gente, por ahí. Cuando se te mete en la cabeza emigrar es bueno saber algo de inglés. Y además muchos de los nuestros querían irse a Londres, y alguna vez he ayudado a los amigos a repetir las frases útiles.*

*Así que sabías inglés.*

*No, no sabía. Conocía algunas expresiones. Como station ship, para buscar el puerto, y cosas así.*

*¿Lo descubrieron luego?*

*Espera, ahora te cuento.*

Aquella semana, a la espera de partir, trabajé tres días —tuve suerte— y gané lo suficiente para comprar ropa nueva que ponerme en Grecia. Siempre es útil la ropa nueva cuando llegas a un sitio en el que no eres nadie.

Éramos cinco: Rahmat, Liaqat, Hussein Alí, Soltan y yo.

Hussein Alí era el más pequeño, tenía doce años.

Desde Estambul fuimos a Ayvalik, frente a la isla de Lesbos, luego tendríamos que alcanzar las costas griegas desde las turcas. De Estambul a Ayvalik nos llevó el traficante de turno, un turco bigotudo con la piel picada, que había dicho —las palabras exactas no las recuerdo, pero el sentido era ése— que nos explicaría cómo alcanzar Grecia.

Así fue. Llegados a Ayvalik apagó el motor de la furgoneta, extrajo del maletero una caja de cartón roída por los ratones, nos arrastró a lo alto de una colina, al atardecer, señaló el mar y dijo: Grecia está en aquella dirección, buena suerte.

Todas las veces que me desean buena suerte, las cosas van mal, dije. Y, además, ¿qué significa que Grecia está hacia allí? Yo sólo veo el mar.

Pero también él, como es natural, tenía su parte de miedo, porque lo que estaba haciendo era ilegal, así que nos abandonó en lo alto de la colina y se fue mascullando en turco.

Abrimos la caja de cartón. Contenía la lancha neumática —desinflada, claro—, los remos, e incluso dos de repuesto, la bomba, cinta adhesiva —en un primer momento pensé: ¿cinta adhesiva?— y los chalecos salvavidas. Un kit perfecto. Del Ikea de los clandestinos. Instrucciones y todo. Nos dividimos el material, nos pusimos los chalecos salvavidas, porque ponérselos era más cómodo que llevarlos en la mano, y bajamos hacia el bosque que separaba la colina de la playa. Del mar nos separaban como tres o cuatro kilómetros y entretanto ya había anochecido. En aquellos años, ahora que lo pienso, viví más a oscuras que a la luz.

Así que echamos a andar hacia la playa y allí estaba aquel gran bosque y la noche que se metía entre los troncos y no habían transcurrido veinte minutos cuando oímos los ruidos, ruidos extraños, no el viento entre las ramas y las hojas, no: otra cosa.

Serán vacas, dijo Rahmat.

Serán cabras, dijo Hussein Alí.

Las cabras no hacen ese ruido, idiota.

Hussein Alí le dio a Rahmat un puñetazo en el hombro. Si es por eso, tampoco las vacas, idiota.

Empezaron a darse empujones y a pelear.

Callaos, dije. Basta.

Serán vacas salvajes, dijo Liaqat. Un tipo de vaca

de Lesbos se necesitaban alrededor de tres horas, nos había dicho el traficante. En aquel momento serían las dos o las tres de la mañana y el riesgo era llegar con las primeras luces del alba y por tanto ser vistos. Necesitábamos la oscuridad, y la invisibilidad, y hacer las cosas bien. Debíamos esperar a la noche siguiente.

Yo soy el mayor, dije. Soy el capitán. Votémoslo. ¿Quién vota por salir mañana por la noche?

Hussein Alí levantó la mano el primero. Soltan y Rahmat inmediatamente después.

Liaqat suspiró. Busquemos entonces algún sitio seguro, dijo. Lejos del mar, si es posible. Y lanzándole una mirada afilada a Hussein Alí: No vaya a ser que una ola salvaje nos ataque mientras dormimos.

Hussein Alí no entendió la broma. Asintió y dijo: O un cocodrilo. Y lo dijo serio, abriendo mucho los ojos.

No hay cocodrilos en el mar, dijo Liaqat.

¿Tú cómo lo sabes?

Lo sé y basta, idiota.

Sólo hablas porque tienes voz. Ni siquiera sabes nadar.

Tampoco tú sabes nadar.

Es verdad. Hussein Alí se encogió de hombros. Por eso tengo miedo de los cocodrilos.

Que no hay. ¿Entiendes? No. Hay. Viven en los ríos.

Yo no estaría tan seguro, murmuró Hussein Alí, mirando al agua. En esa tiniebla oscura, dijo desplazando una china con la punta del pie, podría haber cualquier cosa.

Un buen día, sí, fue bueno el día siguiente, aunque terminamos con las reservas de comida y agua. Soltan intentó beber agua del mar, y, después de la primera bocanada, empezó a gritar que el agua estaba envenenada, que los turcos y los griegos habían envenenado el agua para matarnos. Estuvimos juntos (¿con quién si no?), dormimos un buen rato y construimos trampas para los cerdos salvajes. No pensábamos en los peligros de la travesía. La muerte es siempre un pensamiento lejano, incluso cuando la sientes cerca. Piensas que te las arreglarás, y tus amigos también.

Hacia medianoche salimos al descubierto. Habíamos transportado el material hasta los escollos, para estar protegidos, para que no nos vieran las embarcaciones que pasaran. Teníamos que inflar el bote con la bomba, una bomba de esas con medio balón que se aplasta con el pie. Era azul y amarillo el bote; no muy grande, por decirlo todo, y el peso máximo para el que había sido construido era inferior al peso total de los cinco, pero hicimos como si nada.

Estábamos inflándolo y montando los remos y no nos dimos cuenta de que se acercaba una luz, una luz en el mar.

Fue Rahmat el que la vio. Mirad, dijo.

Volvimos la cabeza al unísono.

Mar adentro, no sabría decir cómo de lejos, estaba pasando un barco que emitía resplandores rojos y verdes a los lados, y, sería por aquellas luces rojas y verdes o no sé por qué, pero pensamos, convencidos, que se trataba del servicio de guardacostas. Es la guardia costera, dijimos. Presas del pánico, nos preguntamos unos a otros: ¿Nos han visto? ¿Nos habrán visto? ¿Quién sabe? ¿Cómo podemos saberlo? Desinflamos el bote, retrocedimos y volvimos a zambullirnos entre los matorrales.

Era, casi seguro, un barco de pescadores.

¿Qué hacemos?

Mejor esperamos.

¿Esperar cuánto?

Una hora.

¿Y si vuelven?

Entonces mañana.

Mejor esperar a mañana.

Sí, sí. Mañana.

¿Dormimos?

Vamos a dormir.

¿Y los turnos de guardia?

¿Qué turnos de guardia?

Deberíamos hacer turnos de guardia, dijo Hussein Alí.

No hacen falta turnos de guardia.

Si nos han visto, vendrán a buscarnos.

Pero a lo mejor no nos han visto.

Entonces podemos irnos.

No, no podemos irnos, Hussein Alí. Y, de todas formas, si vinieran a buscarnos, nos daríamos cuenta. Uno no puede aparcar en silencio un barco en la playa. Pero, si tienes ganas, haz el primer turno de guardia.

¿Por qué yo?

Porque lo has propuesto tú, por eso.

¿A quién despierto después de mí?

Despiértame a mí, dije.

Vale.

Buenas noches.

Buenas noches.

Cuando Hussein Alí empezó a hablar en sueños, yo todavía estaba despierto. Total, no era necesario hacer guardia.

La tercera noche, después de una discusión, decidimos partir un poco antes. Pensamos que si habían pasado a medianoche, quizá —quizá— a las diez todavía estarían cenando o ante el televisor. Y así, un par de horas después del atardecer, nos acercamos a los escollos, inflamos el bote y lo metimos en el agua. Nos desnudamos y nos quedamos en calzoncillos.

Yo, ya lo he dicho, era el mayor, y también era el único que sabía nadar un poco. Los otros no sólo no sabían nadar, sino que tenían un miedo que ni te digo. Cuando hubo que entrar en el agua para sujetar el bote de modo que pudiéramos subirnos todos, di el primer paso, como un héroe, y puse el pie donde pensaba encontrar el fondo marino, que ni siquiera sabía cómo era. Y así descubrí que también en el mar hay rocas. Chicos, en el mar hay rocas, dije. Y todos dijeron: ¿De verdad? No había tenido tiempo de responder sí, cuando, tratando de dar otro paso, resbalé y acabé en el agua. Braceando a manotazos, los brazos rígidos, conseguí no ahogarme, agarrarme al bote y sujetarlo para que pudieran subir los otros.

Hussein Alí dijo: Date prisa. Los cocodrilos te comen los pies.

Liaqat le soltó una bofetada en la cabeza.

Y si no es un cocodrilo, dijo, a lo mejor es una ballena.

Con la ayuda de Soltan y Rahmat subí a bordo.

¿Qué pasó en ese momento? Que cogimos los remos y empezamos a dar grandes palos al agua, como si le estuviéramos pegando, tan fuerte que yo incluso rompí un remo, golpes sin ton ni son, etcétera, porque, si una cosa era verdad, era que ninguno de nosotros sabía remar, así que remábamos todos en el mismo lado, a la derecha, y el bote giraba sobre sí mismo hacia la derecha, o a la izquierda, y el bote giraba a la izquierda.

Y gira y vuelve a girar, bueno, fuimos a dar contra los escollos.

Ahora, yo no sé como están fabricados los botes, pero aquél debía tener dos capas de goma hinchable, porque se pinchó y no nos hundimos.

Pero teníamos que arreglarlo.

Conseguimos volver a tierra —un trabajo inmenso— y poner el bote en las piedras.

Por suerte teníamos la cinta adhesiva (para eso servía); cerramos el agujero con la cinta. Pero no estábamos seguros de que sirviera, así que decidimos que Hussein Alí, que era el más pequeño, en vez de remar tuviera las manos apretadas sobre el parche.

Rahmat y yo nos pusimos a la izquierda.

Liquat y Soltan a la derecha.

Dije: Ahora. Y los cuatro empezamos a remar

En ese momento, por fin, partimos.

# Grecia

El mar empezó a agitarse hacia medianoche, creo, o poco más o menos. Remábamos rápido, pero sin podernos ayudar con la voz, como hacen los profesionales, que tienen a alguien a la espalda, o delante, que dice y uno y dos, y uno y dos, etcétera, para que los que reman remen al unísono. Nosotros no podíamos, no queríamos, teníamos miedo incluso de estornudar, cosa que, al estar medio desnudos, sólo con los calzoncillos encima (habíamos empaquetado la ropa y las otras cosas dentro de bolsas de plástico y las habíamos cerrado con cinta adhesiva para evitar que entrara el agua), podía suceder. Teníamos miedo de estornudar, decía, y de que el radar de la guardia costera detectará nuestro estornudo entre la espuma de las olas.

Nos habían dicho que remando rápido desembarcaríamos en las costas de Grecia en dos o tres horas, pero esto sin contar con el agua que entraba en el bote. Cuando el mar se enfadó y empezó a caernos encima como si lloviera con todas sus fuerzas cogí una botella de agua, la partí con los dientes por la mitad para convertirla en un cuenco y le dije a Hussein Alí: Olvídate del parche. Echa el agua al mar.

¿Y cómo?

Con esto, dije, mostrándole la media botella. En ese momento una ola me la arrancó de la mano, como si me hubiera oído y no estuviera de acuerdo. Hice otra. Cogí la mano de Hussein Alí y la cerré en torno al cuenco. Con esto, repetí.

Remábamos. Pero, entonces, ¿por qué nos parecía estar quietos? Peor: retroceder. ¿Por qué? Y, como si no bastara, también se interponían los neumáticos, los neumáticos que llevábamos para usar como salvavidas, sí, lástima que los hubiéramos atado al bote con cuerdas demasiado largas, y eso porque temíamos que nos molestaran mientras remábamos, así que, cuando soplaba fuerte, el viento levantaba aquellos neumáticos, convirtiéndolos en globos que hacían que el bote girara y diera bandazos.

De vez en cuando la corriente o el viento o las olas nos devolvían hacia las costas de Turquía —o eso creíamos: no estábamos en absoluto seguros de saber en qué parte estaba Turquía y en cuál Grecia— y el pequeño Hussein Alí empezó a decir, sin dejar de excavar en el agua que llenaba el bote: Yo sé por qué no conseguimos ir hacia Grecia. No podemos ir hacia Grecia porque allí el mar está en cuesta. Y lo decía lloriqueando.

En la costa había un faro. Era nuestro punto de referencia. Pero en cierto momento dejamos de verlo. Las olas eran tan altas que lo cubrían, y Hussein Alí empezó a gritar entonces y se puso muy nervioso. Decía: Somos tan grandes como el diente de una ballena, decía. Y las ballenas nos comerán. Y, si no nos comen ellas, ya se encargarán los cocodrilos, aunque digáis que no hay. Tenemos que volver, tenemos que volver.

Dije: Yo no vuelvo. Estamos cerca de Grecia, y, si no estamos cerca, ya estamos por lo menos a medio camino. Seguir adelante o volver atrás es lo mismo, y yo prefiero morir en el mar a tener que repetir desde el principio todo el camino que he hecho hasta ahora.

Así empezó toda una discusión, allí, en medio del mar, rodeados por la oscuridad y las olas, y con Rahmat y yo que decíamos: A Grecia, a Grecia. Y Soltan y Liquat que decían: A Turquía, a Turquía. Y Hussein Alí que continuaba achicando agua y lloraba y decía: Cae la montaña, cae la montaña, porque las olas eran tan altas —dos o tres metros o incluso más— que cuando se elevaban sobre nosotros, cuando el bote estaba en el cuenco entre una y otra, era como si fueran a derrumbársenos encima. Pero luego nos levantaban y pasaban por debajo y, por fin, cuando estábamos en la cresta, nos dejaban caer de golpe, como algunas atracciones a las que he ido aquí en Italia, en el Luna Park. Pero allí no era nada divertido.

Así que la situación era: Rahmat y yo que remábamos como locos hacia Grecia (o en la dirección en la que pensábamos que se encontraba Grecia), mientras Soltan y Liaqat remaban hacia Turquía (o en la dirección en la que pensaban que se encontraba Turquía). La discusión degeneró, nos insultamos, y empezamos a pegarnos dentro del bote, a darnos codazos, y allí estábamos nosotros, pegándonos, tontos, un puntito en medio de la nada, mientras Hussein Alí lloraba y decía: Pero ¿cómo? ¿Yo hago mi trabajo de echar fuera el agua y vosotros os pegáis? Remad, por favor, remad.

Y entonces, creo, en aquel momento apareció el barco. O sea, no el barco, el buque. Un buque inmenso, un transbordador o qué se yo. Lo vi salir entre las palabras de Hussein Alí, a su espalda. El hecho es que pasó cerca, muy cerca.

*¿Cómo de cerca?*
*¿Ves la floristería al otro lado de la ventana. A la distancia que hay de aquí a allí.*
*¿Tan cerca?*
*Tan cerca como de aquí a allí.*

Levantó olas altísimas, distintas de las olas naturales. Olas que se cruzaron con las otras y el bote hizo un gesto extraño, como un caballo al que le ha picado una abeja. Y Liaqat no consiguió agarrarse. Sentí sus dedos resbalar por mi espalda. No gritó, no, no tuvo tiempo. El bote se lo quitó de encima de improviso, como un caballo.

*Explícamelo. ¿Liaqat cayó al agua?*
*Sí.*
*¿Y vosotros qué hicisteis?*
*Lo estuvimos buscando, como podíamos, esperando divisarlo entre las olas, y gritamos. Pero había desaparecido.*

Cuando las olas del buque —no, no se detuvo, el buque; quizá nos viera, o quizá no, no nos enteramos—, decía, cuando las olas se calmaron, bueno, seguimos remando y gritando el nombre de Liaqat. Y remando. Y gritando. Dando vueltas alrededor del punto donde pensábamos que podía estar, aunque, con toda probabilidad, estábamos ya lejos.

Nada. A Liaqat se lo había tragado la oscuridad.

En ese momento —no sé bien cómo sucedió: sería el cansancio, el desaliento, sería que nos sentíamos demasiado pequeños, infinitamente demasiado pequeños para no sucumbir a todo aquello —, en ese momento resulta que nos quedamos dormidos.


Era el alba cuando volvimos a abrir los ojos. El agua alrededor era oscura, prácticamente negra. Nos enjuagamos la cara, escupiendo la sal. Recorrimos el horizonte con la mirada y vimos la tierra. Una lengua de tierra, sí, y una playa, una colina. No demasiado lejanas, se podía llegar. Empezamos a remar rápido, sufriendo, sin ni siquiera saber si era Grecia o Turquía. Sólo dijimos: rememos en aquella dirección.

A fuerza de estar de rodillas, las piernas se habían bloqueado. Y en las manos teníamos heridas casi imperceptibles, cortes minúsculos: no sabíamos cómo nos las habíamos hecho, pero nos ardían cada vez que las mojaba el agua salada. Conforme nos acercábamos a la isla, la luz se aclaraba, y fue entonces cuando, sobre una colina, Soltan vio una bandera. Sólo dijo: Una bandera. Con un hilo de voz y el dedo índice señalando. El viento la arrugaba, pero en los momentos en que permanecía desplegada se veían franjas horizontales, azules y blancas, alternas (nueve, para ser precisos, nueve), y la primera, partiendo de arriba, era azul, y en el ángulo superior, en el lado del asta, había un cuadrado, azul también, con una cruz blanca en el centro.

La bandera de Grecia, por ejemplo.


Ya en aguas poco profundas, nos bajamos del bote. Lo arrastramos a la orilla, cerca de los escollos, agachados, para que se nos viera lo menos posible, aunque parecía que no había nadie. Lo desinflamos, primero sacando el aire a través de los tapones, luego, impacientes, rompiendo el plástico con piedras. Lo plegamos de prisa y lo escondimos bajo una roca, y cubrimos la roca con arena. Nos miramos.

¿Qué hacemos?, preguntó Hussein Alí.

Habíamos perdido los paquetes con la ropa, estábamos en calzoncillos. ¿Qué podíamos hacer?

Quedaos aquí, dije.

¿Dónde vas?

Al pueblo.

¿A qué pueblo? No sabemos dónde estamos.

En la costa...

En la costa, estupendo, dijo Soltan.

Déjame terminar, dije. Tenemos que llegar a Mitilene, ¿no?

¿Tú sabes acaso por dónde cae Mitilene?

No. Pero algún pueblo habrá por aquí cerca. Alguna casa. Tiendas. Voy a buscar comida y, si puedo, ropa. Vosotros esperadme aquí. No sería bueno que nos vieran rondando como cuatro perros callejeros.

Yo también quiero ir, dijo Hussein Alí.

No.

¿Por qué?

Acabo de explicarlo.

Porque uno solo se esconde mejor, dijo Rahmat.

Hussein Alí me miró de reojo. Vuelve, eh.

Vuelvo enseguida.

No te quieres ir, ¿verdad?

Me volví sin responder y tomé el sendero que subía por la colina. Me di una buena caminata, no recuerdo bien dónde ni porqué, pero creo que incluso me perdí, siempre que sea posible perderse cuando no se sabe adónde se va.

Las casas aparecieron de la nada, detrás de un grupo de árboles, y entre las casas un supermercado. Había grupos de turistas, familias de vacaciones, señores ancianos de paseo. Una heladería con una larga cola delante. Un puesto de periódicos. Un garaje que alquilaba motos y coches. Y una plaza con bancos y un parque infantil. De la heladería salía música alegre, a todo volumen.

El supermercado. El supermercado era el paraíso. El supermercado era mi objetivo. Sólo tenía que entrar, coger comida, algo simple, fruta podía bastar, y ropa, algún bañador, a lo mejor, si tenían. Niños que andan en bañador por una localidad turística, de playa, es algo normal, pero niños que andan por ahí en *slip*, bueno, eso es menos normal, ¿no?

Pasó un coche de la policía. Me escondí detrás (más dentro que detrás) de un seto. Me quedé agachado unos minutos, espiando los movimientos ante el supermercado, para adivinar cómo entrar sin llamar la atención, y llegué a la conclusión de que por delante no había esperanza. Pero siempre podía ir por detrás. Así que me pegué como una lagartija a las paredes de las casas, me arrastré como una serpiente bajo una cancela, ganándome un par de feos rasguños en la barriga y, por fin, salté como una araña una tela metálica. Entré en el supermercado aprovechándome como un fantasma de la distracción de un mozo que descargaba cajas y más cajas de bollos. En cuanto apoyé el pie desnudo en las baldosas frías y resbaladizas de la sección de artículos para el hogar, oí detrás de la estantería voces que me parecía conocer. Me asomé. Sólo la cabeza.

Rahmat, Hussein Alí y Soltan paseaban por los pasillos bajo la mirada perpleja de una joven dependienta rubia.

Me habían desobedecido y no sé cómo habían llegado antes que yo. Me dejé ver. Les hice señas para que simularan que no nos conocíamos.

Cada uno cogió cosas para sí —algo de comer—, pero nada de ropa: no vendían. La gente nos miraba con los ojos de par en par, llenos de estupor. Debíamos apresurarnos. Pero, cuando fuimos a salir, la puerta trasera del almacén estaba bloqueada. Quedaba la principal, pero por ahí había que salir corriendo, y no sólo corriendo: a toda velocidad. Así, mientras cogíamos carrerilla a través del pasillo de los productos frescos, y luego por el de los productos para la higiene personal, y luego por no sé cuál otro, me pregunté si el que estaba gritando en griego sería

el dueño, y si el dueño que despotricaba contra nosotros, en griego, descolgaría su teléfono griego para
llamar a la policía griega. Ah, si me hubieran esperado aquellos tres desgraciados. Habría hecho todo de
otro modo y con otra delicadeza. Y, en vez de eso,
tuvimos que salir a través de la puerta de cristal —y
aún gracias que ninguno se estrelló contra ella—,
pero, en cuanto dimos siete pasos en la acera, entre
niños con helados que les chorreaban entre los dedos
y viejecitas con sandalias plateadas, gente asustada
(aunque dudo que unos chicos en calzoncillos puedan asustar a nadie), bueno, un coche de la policía
pegó un frenazo —lo juro, como en las películas—,
y por las puertas salieron tres policías, enormes.

Apenas había tenido tiempo de darme cuenta de
ese coche de la policía, etcétera, cuando ya estaba
dentro. Con Hussein Alí. En el asiento trasero. Sólo
nosotros dos.

Los otros, por lo que parece, habían conseguido
huir.

¿Pakistaníes?
No.
¿Afganos?
No.
Afganos, lo sé. No me toquéis las pelotas.
No *afghans,* no.
Ah, no *afghans,* no. *Afghans* sí, ratoncitos. Afga-
nos. Os conozco por el olor.

Nos llevaron a rastras al cuartel, nos encerraron en un cuartucho. Oíamos los pasos en el pasillo y cosas que decían, cosas que no entendíamos, y yo, más que a nada, me acuerdo, más que a la posible paliza o a la cárcel, bueno, le temía a las huellas digitales. Del asunto de las huellas digitales me habían hablado algunos chicos que trabajaban en la fábrica de piedras, en Irán. Me habían dicho que en Grecia, en cuanto te capturaban, te tomaban las huellas de los dedos y desde aquel momento cualquier clandestino estaba listo, porque no podía pedir asilo político en ningún otro país de Europa.

Así que Hussein Alí y yo decidimos transformarnos en pelmazos para que nos echaran antes de que llegaran los de las huellas digitales. Pero para que te echen debes ser un pelmazo serio, un profesional. Como primera medida, empezamos a lloriquear y a gritar que nos dolía el estómago de hambre, y ellos, los policías, nos dieron galletas. Luego, que teníamos que ir al baño. Decíamos: váter, váter. Después del baño, empezamos a llorar y a gritar y a quejarnos hasta que llegó la noche, y de noche los policías de turno tienen menos paciencia y, si te va mal, te pegan a muerte, pero, si te va bien, te dejan ir.

Arriesgamos. Fue bien.

Era casi por la mañana, todavía sin luz, y pasaban poquísimos coches cuando dos policías, hartos de nuestros gritos, abrieron de par en par la puerta del cuartucho y nos arrastraron por las orejas fuera de la comisaría, lanzándonos a la calle y gritándonos que volviéramos por donde habíamos venido, raza de monos aulladores. O una cosa así.

La mañana se nos fue buscando a Soltan y a Rahmat. Volvimos a encontrarlos por la zona de la playa, fuera de la ciudad, y, en cuanto los vi, no había tenido tiempo de sentirme feliz cuando inmediatamente me enfadé, porque esperaba que en ese tiempo hubieran encontrado algo de ropa —pantalones, camisetas o qué se yo, zapatos quizá—, pero no, nada, seguíamos siendo cuatro andrajosos como antes, y no es en absoluto verdad que el hábito no hace al monje.

Una cosa que había hecho en la comisaría, mientras estaba allí (hay que saber aprovechar todas las ocasiones, cuando eres un clandestino) fue curiosear en un gran mapa de la isla colgado en la pared: el sitio donde nos encontrábamos estaba marcado en rojo, Mitilene en azul. En Mitilene se embarcaba para Atenas. En un día de camino, quizá, por campos y carreteras secundarias, llegaríamos a pesar del dolor de pies. Nos pusimos en marcha por el arcén de una carretera. El sol era bueno para cocer el pan, sudábamos aunque estuviéramos parados. Soltan se quejaba —creo que a Hussein Alí le faltaba aire para hacerlo, si no se hubiera quejado también, como de costumbre— y de vez en cuando se asomaba a la carretera medio desnudo, haciendo señas con los brazos a los coches para que pararan y nos llevaran. Yo tiraba de él. Le decía: No. ¿Qué haces? Ésos vuelven a llamar a la policía. Pero Soltan seguía.

Él: Vamos a parar, por favor. Vamos a esperar que nos coja alguien.

Yo: Si sigues así, será la policía la que te coja. Ya verás.

Y no es que quisiera ser un pájaro de mal agüero,

o como se diga, figúrate. A mí me interesaba seguir el viaje con ellos, protegernos recíprocamente, pero se encabezonaron en que estaban cansados y que era mejor buscar algún camión que nos llevara, y entonces, en ese momento, dije: No. Y me alejé del grupo.

Allí cerca había una pequeña estación de servicio, con un surtidor de gasolina y, a la derecha, desconchada y grasienta, una vieja cabina de teléfonos medio escondida por las ramas de un árbol. Entré, cogí el teléfono y simulé llamar, aunque espiaba a mis compañeros, para ver qué hacían.

Cuando llegó el coche de la policía —con las luces encendidas, pero sin sirena— por un momento pensé salir, gritar escapad, escapad, pero no me dio tiempo. Me agazapé. Seguí la escena de cómo corrían, eran alcanzados y cazados (volaron los golpes de porra). Vi todo de rodillas, escondido, a través de los cristales sucios, sin poder hacer nada y rezando, dentro de mí, por que a nadie le entraran ganas de llamar por teléfono.

En cuanto el coche de la policía se fue, haciendo silbar las ruedas, salí de la cabina, doblé la esquina de la estación de servicio controlando que no hubiera nadie y, corriendo a más no poder, cogí un camino rural, arenoso y desierto, y seguí corriendo, corriendo, corriendo, sin saber dónde ir, hasta que me estallaron los pulmones y me tumbé en el suelo para recuperarme. Cuando vi que estaba bien, me levanté y reemprendí la marcha. Media hora más tarde, el sendero bordeó un patio. Era el patio de una vivienda privada, delimitado por una tapia blanca, con un gran árbol en el centro. No vi a nadie. Salté. Había un perro, pero estaba atado. Me vio. Se puso a ladrar y me escondí bajo las ramas tupidas del árbol.

Debía de estar cansado. Porque me quedé dormido.

*Cómo para no estar cansado, Enaiat.*

*No era sólo que estuviera cansado. Había algo que me tranquilizaba en aquel sitio, ¿sabes?*

*¿Qué?*

*No sabría decírtelo. Ciertas cosas se sienten, y basta.*

De hecho, en algún momento, llegó la señora anciana que vivía allí. Y me despertó, pero con delicadeza. Me puse en pie de un salto, rápido, a punto de escapar, pero ella me hizo un gesto para que entrara en la casa. Me dio comida buena, verduras y no sé que otra cosa. Me dijo que me duchara. Me dio ropa, estupenda: una camisa a rayas azules, vaqueros y unas zapatillas de deporte blancas. Era increíble que tuviera esa ropa en la casa, y de mi talla, además. No sé de quién sería, quizá de algún nieto.

Hablaba mucho la señora, sin parar, en griego y en inglés, y yo entendía poco. Cuando veía que sonreía, yo decía: *Good, good.* Cuando se ponía seria, también me ponía serio y con la cabeza decía rotundamente: *No, no.*

Un rato después, por la tarde, cuando ya me había duchado y todo eso, aquella abuela me acompañó a la estación de autobuses, se sacó el billete (ella, sí), me dio cincuenta euros, en la mano, digo, cincuenta euros, me dijo adiós y se fue. Es verdad, pensé, que hay gente muy extraña y amable en el mundo.


*Vale, otra vez.*

*¿Otra vez qué?*

*Me cuentas las cosas, Enaiat, pero inmediatamente te escapas a otro asunto. Dime algo más de esa señora. Descríbeme su casa.*

*¿Por qué?*

*¿Cómo que por qué? A mí me interesa. Y a lo mejor también a los demás.*

*Sí, pero ya te lo he dicho. A mí me interesa lo que pasó. La señora es importante por lo que hizo. No importa su nombre. No importa cómo era su casa. Ella es cualquiera.*

*¿Cualquiera? ¿En qué sentido?*

*Cualquiera que se porte así.*


Así, como para no creerlo, llegué a Mitilene. Es una ciudad grande, Mitilene, populosa, con muchos turistas y tiendas y coches. Yo preguntaba por el camino a la *station ship,* o sea, el puerto, de donde salían los *ferries* para Atenas. Las personas para responder hablaban, como suele hacer la gente, pero yo miraba los movimientos de las manos.

Por allí, por allá.

Cuando encontré el puerto, encontré también a un montón de chicos afganos que llevaban rondando por allí días y días, intentando comprar el billete, y cada vez que lo intentaban los echaban, porque se veía enseguida que no eran clientes normales, que eran clandestinos. La cosa me desanimó un poco. ¿Cuánto tendría que esperar yo?

Y sin embargo.

Sería por cómo iba vestido, o porque estaba limpio, sería por la barriga llena y la cara de satisfacción que se te pone cuando has comido bien, sería por lo que quieras, el hecho es que en la ventanilla había una chica joven y, cuando le pedí el billete, me respondió: Treinta y ocho euros. Yo, al principio, no podía creérmelo, así que dije: *Repeat?* Y ella: Treinta y ocho euros.

Le alargué a través de la ranura el billete de cincuenta recibido de la abuela griega. La chica de la ventanilla —guapa, además: ojos grandes, bien maquillada— lo cogió y me dio doce euros de vuelta. Le di las gracias con un *thank you* incrédulo y salí.

No os digo la cara de los otros cuando me vieron con el billete en la mano. Todos me rodearon. Querían saber cómo lo había conseguido y algunos, incluso, no creían que lo hubiera comprado yo solo, no. Decían que se lo había encargado a un turista de verdad, con cara de turista. Pero no.

¿Cómo lo has conseguido?, preguntaban.

Sólo lo he pedido, respondí. En la ventanilla.


El *ferry* era enorme. Cinco pisos de alto. Subí al último para ver mejor el horizonte, y saboreaba con los ojos y cada una de las partes del cuerpo el hecho de estar sentado cómodo y relajado en un sillón, no de rodillas sobre un bote neumático o con las piernas cruzadas en el doble fondo de un camión, cuando empezó a sangrarme la nariz: era la primera vez que me sangraba la nariz en mi vida.

Corrí al baño para enjuagarme la cara. Metí la cabeza bajo el chorro de agua, y allí estaba, con la cabeza inclinada sobre el lavabo y la sangre que corría y —lo juro, no sé bien cómo decirlo— me pareció que con la sangre fluía, de dentro de mí, todo el cansancio, la arena del desierto, el polvo de los caminos y la nieve de las montañas, la sal del mar y la cal de Isfahán, las piedras de Qom y los residuos de las cloacas de Quetta. Cuando la sangre dejó de salir, estaba bien, muy bien. Bien como nunca había estado. Me sequé la cara.

Mientras buscaba un nuevo sitio, siempre en el quinto piso, siempre hacia el horizonte, desfilé ante una serie de bancos ocupados y, para evitar a una niña que estaba jugando, rocé la rodilla de un chico. Perdona, dije. Lo observé de paso, me volví, iba a alejarme. Me detuve. Lo miré bien. No es posible, pensé.

Jamal.

Levantó el mentón: Enaiatollah.

A Jamal lo había conocido en Irán, en Qom, jugando al fútbol en el torneo entre las fábricas. Nos abrazamos.

No te he visto antes, dijo. No te he visto en el puerto.

Acabo de llegar.

Pero ni siquiera te he visto por Mitilene.

Llegué a la isla ayer.

Imposible.

Lo juro.

¿Cómo?

En un bote neumático. Desde Ayvalik.

Imposible.

Lo juro.

¿Ayer ibas en bote y hoy ya estás en el *ferry*?

Suerte, creo. Seguro que es eso.

Nos sentamos juntos. Estuvimos todo el rato charlando. Había pasado cuatro días en Mitilene sin poder conseguir un billete para Atenas, y por fin le había dado ochenta euros a uno que hablaba muy bien inglés para que fuera a comprarlo en su lugar. Pero lo peor era que una vez la policía lo había cogido. Ya. A él y a sus huellas.


Llegamos a Atenas a la mañana siguiente, a eso de las nueve. Entre los pasajeros, algunos bajaron corriendo al interior del *ferry* para coger el coche, otros abrazaron a los parientes en el último peldaño de la escalera, y otros cargaron las maletas en un taxi y se perdieron entre el tráfico. El puerto era todo un saludarse y darse palmadas en la espalda. A nosotros dos, a Jamal y a mí, nadie nos esperaba, y no sabíamos a dónde ir. Pero no es que la cosa nos diera tristeza. Sólo que es extraño ver a tu alrededor a tanta gente relajada, serena y segura mientras tú eres el único que se siente perdido. Pero son cosas de la vida. ¿O no?

Vamos a desayunar, dijo Jamal. Tomemos un café.

Yo tenía doce euros de la vuelta del billete. Él también, calderilla. En un bar —entramos— nos endilgaron dos vasos enormes de un café largo, largo, como el americano, para beber con pajita. Lo probé. Daba asco. Dije: Yo no me lo bebo.

No te lo bebas, si no quieres, dijo Jamal. Pero tenlo en la mano.

¿En la mano?

Como dos turistas. Caminemos con los vasos en la mano. Es lo que hacen los turistas, ¿no?

Era mediodía cuando nos aventuramos por la ciudad. Tomamos el metro. Cada cuatro paradas, nos bajábamos e íbamos a ver a dónde habíamos ido a parar. Luego volvíamos a subir y partíamos en la misma dirección. Después de tres veces arriba y abajo salimos al exterior y, sobre nosotros, había un gran parque, muchísima gente y un concierto, un concierto en el parque, en aquel parque que se llamaba Dikastirion, si lo recuerdo bien.

Mezclarse entre la multitud no está mal, cuando no sabes qué hacer. Y en la multitud oímos hablar afgano. Siguiendo la lengua acabamos en medio de un grupo de chicos, más o menos de nuestra edad, algunos incluso mayores: jugaban al fútbol. Y ahora un buen consejo: si en la vida te toca pasar algún tiempo como clandestino, busca los parques, siempre se encuentra algo bueno en los parques.

Esperábamos que por la noche aquellos chicos volvieran a su casa para pedirles hospitalidad y algo de comer, dado que después del partido habíamos hecho amistad. Pero, después de un rato, cuando oscureció, vimos que uno de ellos se metía debajo de un árbol y de debajo del árbol sacaba un cartón, y otro hacía igual, y otro también, lo mismo. En resumen, su casa era el parque. Pero nosotros teníamos hambre, como se suele tener cuando no se come desde hace bastantes horas.

Preguntamos: ¿No hay ningún restaurante afgano que nos regale comida?

Mira que no estamos en Kabul. Estamos en Grecia. En Atenas.

Gracias de todas formas.

El parque era su casa. Y se convirtió en nuestra casa. Por la mañana nos despertamos temprano, a eso de las cinco. Alguno dijo el nombre de una iglesia donde te daban el desayuno; fuimos y cogí pan y yogur. Para la comida había otra. Pero allí, bueno, los curas habían dispuesto una serie de biblias en todas las lenguas —incluida la mía—, bien a la vista, cerca de la entrada, y antes de comer debías leer una página, si no, no te daban de comer.

Pensé: Ni en sueños. Moriré de hambre antes que ser obligado a leer la Biblia a cambio de comida. Lo pensé en una explosión de orgullo.

Sólo que, un rato después, el estómago empezó a quejarse con fuerza, más fuerte que el orgullo. Caramba con el hambre. Estuve dando vueltas media hora o así intentando resistir, hasta que me pareció que me estaban desatornillando el ombligo con un sacacorchos. Entonces me acerqué, fingí leer y me quedé de pie, ante la Biblia en mi lengua, contemplando una página durante un tiempo que me pareció suficiente, de modo que los que servían me vieran. Y luego entré también yo.

Comí pan y yogur. Como por la mañana, en el desayuno.

Ayer por la noche tuvisteis suerte, dijo el que estaba a mi lado.

Jamal estaba intentando obtener de los curas o de los monjes o de lo que fueran otro pedazo de pan. Yo lamía el fondo de mi yogur.

Pregunté: ¿Por qué?

Porque no pasó nada.

Dejé de lamer. ¿Nada? ¿En qué sentido?

Nada de policía, por ejemplo. A veces viene la policía y se ocupa de todos los que encuentra.

¿Los detiene?

No. Sólo se ocupa. De darles patadas. La emprende a patadas y nos obliga a trasladarnos.

¿Adónde?

Adonde queramos. Es sólo para volver la vida peor de lo que es. Creo que lo hacen para eso.

Ah.

Pero no es sólo la policía, añadió el chico.

¿Quién más?

Chicos mayores. Hombres. Que van con los chiquillos.

¿Dónde van?

Hombres a quienes les gustan los chicos.

¿De verdad?

De verdad.

Por la noche, con Jamal, buscamos el rincón oscuro más escondido de todo el parque para hacer nuestro camastro seguro, aunque seguridad, si te ves obligado a dormir en un parque, hay poca.

Dicho en griego, la cosa más increíble con que me tropecé aquel verano, en Atenas, cuarto verano desde que salí de mi casa, de Nava, en Afganistán, fueron las Αγωνες της XXVIII Ολυμπιαδας o sea los Juegos (prepárate para oírlo) de la vigésimo octava Olimpiada, *Athens 2004*. Para ser precisos, nuestra suerte —mía y de todos los clandestinos presentes en Atenas en aquellos meses— fue que un gran número de pistas, piscinas, estadios, complejos deportivos y todo lo demás todavía estaban, a poco tiempo del inicio de las competiciones, sin terminar. Así, rondando por la ciudad, había hambre de peones de albañil que trabajaran en negro, a quienes, por quedar bien con el mundo, incluso la policía miraba con consideración, creo.

Son un arma secreta los inmigrantes, de vez en cuando.

Yo no sabía que existían estas olimpiadas. Lo descubrí cuando, después de ir con otros chicos afganos a una plaza donde nos habían dicho que se podía encontrar trabajo, un coche me recogió y me llevó al estadio olímpico. Allí entendí que, si quería, había trabajo para dos meses, todos los días, comprendidos sábados y domingos. El trabajo además estaba bien organizado. Cada tarea se confiaba según la edad. Yo, por ejemplo, sólo tenía que sostener en la mano los arbolillos del paseo mientras otros excavaban agujeros para plantarlos. Por la noche te pagaban al contado; cuarenta y cinco euros. Un sueldo estupendo, por lo menos para mí.

Recuerdo que una noche, en el parque, llegó un hombre que se sentó junto a Jamal y empezó a acariciarlo, sin prisa. Un tío griego, con barba y una camisa llamativa. Jamal, entonces, me dio un golpe con la pierna para despertarme (dormíamos uno al lado del otro, para protegernos recíprocamente). Dijo: Oye, Ena, hay uno que me está tocando.

¿En qué sentido?, dije yo.

No sé. Me está tocando, pero no sé por qué.

¿Te está molestando?

No, sólo me mima. Me acaricia el pelo.

Entonces me vino a la mente lo que me había dicho aquel tipo en el comedor de la iglesia ortodoxa. Nos levantamos de improviso y corrimos hacia los chicos mayores. El hombre de la barba nos siguió, vio a los mayores a nuestro alrededor y a nosotros, señalándolo. Entonces se encogió de hombros y se fue.

Cuando empezaron las olimpiadas no hubo más trabajo, y nosotros pasábamos mañanas y tardes dando vueltas, sin saber adónde ir o qué hacer. En ese momento empecé a hablar de partir una vez más.

Londres, decían todos. Hay que ir a Londres. O a Noruega, si es posible. O a Italia, por qué no. Y si íbamos a Italia, había que ir a Roma y, en Roma, a Ostiense, que, al parecer, era una estación. Había allí un parque donde se reunían los afganos. En Italia, además, vivía un chico al que yo conocía, uno de mi pueblo, de Nava. Se llamaba Payam. No sabía en qué ciudad se habría refugiado y ni siquiera tenía un número de teléfono o algo así, pero estaba en Italia y, si estaba en Italia, a lo mejor podía localizarlo. Sería difícil, pero quién sabe.

Yo me voy, le dije un día a Jamal. Estábamos con otros dos amigos, comiendo un helado. Tengo ahorros del trabajo de las olimpiadas, dije. Puedo comprar un billete y llegar a Corinto, o a Patras, y allí intentar meterme en un camión.

Conozco a un traficante que podría ayudarte, dijo un chico.

¿De verdad?

Sí, dijo. Pero primero, escucha, te conviene más probar la vía del asilo político por motivos de salud.

¿Qué asilo político por motivos de salud?

¿No lo sabes? Hay un sitio, un ambulatorio, donde te curan, si estás malo, y te hacen análisis, si crees estarlo. Y si encuentran algo que no funciona en tu cuerpo te dan un permiso de residencia por enfermedad.

¿De verdad existe ese sitio? ¿Por qué no lo has dicho antes?

Bueno, porque te tienen que poner inyecciones, por ejemplo. No todos están de acuerdo en hacerse análisis o ponerse inyecciones. Pero, si ya has decidido irte, ¿qué te importa? ¿No?

¿Conoces a alguno que haya obtenido ese permiso de residencia? ¿Lo conoces en persona?

¿Yo? Sí, un chico bengalí. Tuvo suerte. A lo mejor también la tienes tú.

Muy bien.

¿Muy bien qué?

Voy, dije. Dime dónde es.

Era un viejo edificio con las ventanas de colores, nada parecido a los otros ambulatorios que yo había visto. Había que llamar por el portero automático al tercer piso. Jamal y los otros me esperarían abajo, se tardaba un par de horas. Llamé. Abrieron sin decir nada. Escaleras.

La entrada, bueno, la verdad es que la entrada parecía la sala de espera de un ambulatorio. No había una ventanilla ni una enfermera a la que pedir información, pero había cuatro o cinco hombres sentados en sillas, un par que leía una revista, otros que miraban al aire. Me senté también yo, a esperar mi turno.

De pronto.

De pronto se abrió una puerta, como por una ráfaga de viento (había cuatro puertas blancas), y salió una mujer, deslizándose. Desnuda. Completamente. Abrí los ojos como platos, luego los bajé, hubiera querido metérmelos en el bolsillo, los ojos, o apagar el fuego de las mejillas, pero, vaya, su aparición me había cogido de tal modo por sorpresa que cualquier postura, cualquier movimiento, incluso respirar, me parecía torpe, inoportuno. Estaba petrificado. La chica desnuda pasó delante de mí, a mi lado, creo que me miró de reojo, sonriendo. Después se metió por otra puerta y desapareció. Un hombre se levantó y la siguió. Pero, inmediatamente, otra. Desnuda. También ella. De pronto hubo, yo qué se, una decena que entraban y salían. Hasta que...

*¿Hasta qué, Enaiat?*

Hasta que me levanté y escapé. Bajé las escaleras, corriendo, de seis en seis peldaños, y salí del portal, siempre corriendo, tanto que en la calle casi acabé bajo un coche —oí un claxon griego y gritos griegos— y fue en ese momento cuando vi a los otros, también a Jamal, que reían. Sujetándose la barriga. Ni siquiera podían tenerse en pie, de lo que reían. Juro que aquella fue la primera y última vez que he entrado en un burdel.

Me quedé en Atenas hasta mediados de septiembre. Un día le estreché la mano a Jamal y tomé un tren en dirección a Corinto. Corría el rumor de que en Patras la policía era violenta, que algunos chicos habían vuelto con las piernas rotas o los brazos rotos o peor, y que, aunque el viaje a Italia fuera más corto, se acababa viajando de alguna forma horrible y sin higiene, entre ratones. Yo le tengo fobia a los ratones. Corinto, sin embargo, era más tranquila, o así lo parecía. Encontré a un traficante griego que escondía a la gente en los camiones. El peligro de los camiones es que nunca estás seguro de dónde vas a terminar. Tú, a lo mejor, crees que vas a Italia, y en vez de eso te ves en Alemania o, si de verdad te va mal, vuelves a Turquía. El traficante me pidió cuatrocientos cincuenta euros, pero yo le había dejado el dinero a Jamal, en Atenas.

No me fío de darte el dinero ahora, dije. Cuando llegue a Europa llamo a mi amigo para que te lo traiga. O así o nada.

Y él dijo: De acuerdo.

El asunto, en Corinto, en la zona del puerto, consiste en esconderse en un camión, en el remolque, entre las mercancías, o entre las ruedas. En las semanas que siguieron me escondí varias veces, incluso en sitios muy peligrosos, pero los controladores me encontraron siempre. Los controladores de Corinto son listos, y saben cómo funciona la cosa. Entran con las linternas y se meten ellos también entre las cajas o los sacos o bajo los remolques para inspeccionar bien cada rincón, cada recoveco, para eso les pagan, y muchos de ellos, de verdad, se merecen el sueldo hasta el último céntimo. Y luego, si te cogen, no es que hagan que te detengan, no, te cogen por la chaqueta y te sacan. Aunque algunas veces, para hacerlo, usan perros.

Así que, después de un tiempo, me cansé de aquellos traficantes incapaces de organizar nada y decidí arreglármelas solo. El dinero se lo quedaría Jamal.

Me trasladé a la playa (en la playa se duerme bien y puedes ducharte). Me uní a un grupo de afganos, también ellos soñaban con partir, y entonces se convirtió en un juego. De vez en cuando íbamos al puerto, tres o cuatro, e intentábamos saltar a un camión. Algunos días que hacía buen tiempo, y estábamos de buen humor, probábamos incluso diez u once veces; en un día, quiero decir. Una vez lo conseguí, pero el camión, como he dicho que podía suceder, en lugar de embarcarse enfiló directamente hacia la salida del puerto. Quién sabe adónde se dirigía. Empecé a golpear contra la carrocería, dentro del remolque, y, cuando llevábamos ya unos veinte o treinta minutos fuera de la ciudad, el conductor debió de oírme. Paró, se apeó y me abrió. Con una llave inglesa en la mano. Pero, cuando vio que yo era pequeño (creo que fue por eso), no me pegó. Me gritó algún insulto, como era justo, y me dejó escapar.

Una tarde, con un hermoso anochecer sobre el mar, dije a los chicos de la playa: Voy a intentarlo.

A la entrada del puerto había tres remolques, uno encima de otro, como un edificio de tres pisos. Me encaramé a lo alto y me encogí, pequeñísimo, para meterme por un agujero. De repente un automotor enganchó el edificio. Aguanté la respiración. El edificio se movió y entró en el barco. Una hora después el carguero cerró los portalones. Yo me sentía muy feliz, lo juro. No te digo cómo estallaba de alegría. Hubiera querido gritar, pero no era el momento. Y además estaba todo oscuro y no sabía adónde iba, y no tenía nada que beber, ni que comer, así que me calmé enseguida y comprendí que antes de poder decir que lo había logrado era mejor lograrlo del todo.

Tres días estuve encerrado en el vientre de la nave. Había ruidos increíbles, gorgoteos, rugidos y cosas así. Luego, el barco se detuvo. Oí el ruido del ancla que descendía, que es un ruido que se reconoce inmediatamente. En ese instante me pregunté: ¿Dónde estaré?

# Italia

No debía levantarme todavía. No debía moverme. Estar quieto, no respirar, esperar. Ser paciente. La paciencia salva la vida.

Una vez fuera del puerto —habían transcurrido quince minutos, diría yo, en cualquier caso menos de media hora— el camión disminuyó la velocidad y entró en un patio, un patio lleno hasta los topes de otros camiones, automotores, remolques. Los amigos, en Grecia, me habían sugerido que no bajara inmediatamente, que esperara a que el camión penetrara en el interior del país (fuera el país que fuese), que se alejara de las fronteras, y que luego aprovechara alguna parada del conductor, en un restaurante de carretera, por ejemplo, para escabullirme. Permanecí agazapado, tranquilo, a la espera de que el camión volviera a ponerse en marcha. Repasaba conmigo mismo las acciones, para ser rápido y preciso: saltar al suelo, aterrizar de puntillas, rodar, si fuera necesario, para atenuar el golpe, buscar una vía de escape, correr, no volverme, correr. Pero.

En lugar de ponernos en marcha, en un momento dado, sentí como un terremoto. Me asomé. Una grúa enorme había enganchado el remolque en el que estaba yo. Me asusté muchísimo. Pensé: ¿Ahora qué pasa? ¿Y si acabo en una trituradora de metales? Entonces me dije que tenía que bajarme, inmediatamente, y me lancé abajo.

Tres hombres trabajaban alrededor de la grúa. Aterricé como un saco de patatas (a pesar de las pruebas mentales de antes), porque las piernas eran de madera y no podían amortiguar el salto. Cuando aterricé, di un grito. Y sería por el grito, o porque no se esperaban ver llover un afgano del cielo, pero los tres hombres se asustaron de verdad; y un perro, incluso un perro que guardaba aquello, salió huyendo. Caí sobre el cemento, torpe, pero enseguida controlé las vías de fuga. No podía dejar que me distrajera el dolor. Vi que una parte de la tapia, que separaba el patio de la calle, se había derrumbado. Corrí en esa dirección, a cuatro patas, como un animal: no conseguía ponerme de pie. Pensaba que iban a perseguirme, pero, en cambio, uno de los chicos en mono de trabajo empezó a gritar: *Go, go*. Y me señalaba la dirección de la carretera nacional. Nadie intentó detenerme.

La primera señal de tráfico que encontré era un indicador azul.

Ponía: Venecia.

Caminé un buen rato, siguiendo una carretera con poco tráfico. De repente, al fondo, vi aparecer dos figuras que se movían veloces. Cuando se acercaron, comprobé que eran dos ciclistas. Me vieron y —creo que a causa de mi ropa sucísima, o por el pelo incrustado de alquitrán, o por mi pinta— disminuyeron la velocidad y se pararon. Me preguntaron si iba todo bien, si necesitaba algo, un gesto que me gustó mucho. Hablamos en inglés, dentro de lo posible, y, cuando el primero dijo que era francés, yo dije: Zidane. Luego, cuando el segundo dijo que era brasileño, dije: Ronaldinho. Era lo único que conocía de sus países, y quería hacerles saber que los apreciaba. Me preguntaron de dónde venía yo. Dije: Afganistán. Dijeron: *Taleban, taleban*. Eso era lo que ellos sabían del mío.

Uno de los dos —el brasileño, creo— me dio veinte euros. Me indicaron la dirección de la ciudad más próxima, que era Mestre. Les dije adiós con la mano y me puse otra vez a caminar, y caminé hasta que encontré una parada de autobús. Había dos o tres personas esperando, entre ellas un chico muy joven. Me acerqué a él y le dije: *Train station?*

Ahora, yo no sé quién era aquel chico, a lo mejor era un ángel, pero de verdad que me ayudó mucho. Me dijo: Ven conmigo. Me subió con él al autobús. Llegados a Venecia, a *piazzale* Roma, me compró un bocadillo, porque debía de tener cara de hambre, me llevó a una iglesia donde me dieron ropa nueva y pude lavarme, para no darle asco a la gente.

Y, quizá sea obvio, pero ¿cómo de hermosa es Venecia? Toda en el agua. Yo pensé: Madre mía, estoy en el paraíso. A lo mejor toda Italia era así. Mientras, le decía al chico: *Rome, Rome.* Entonces entendió que yo quería ir a Roma, me acompañó a la estación e incluso me sacó el billete. Pensé que quizá fuera pariente de la abuela griega; tanta amabilidad, según mi opinión, sólo se transmite con el ejemplo.

Yo no sabía qué distancia había entre Venecia y Roma ni cuánto tiempo emplearía en llegar. No quería pasarme, para no perderme, así que iba preocupado, como es normal. En Roma sabía qué hacer: tenía las instrucciones en mente. Debía salir de la estación central y, en la plaza, buscar el autobús número 175. Son informaciones que incluso se tienen en Grecia.

En el asiento de delante había un señor gordo que enseguida abrió el ordenador portátil para trabajar. En cada estación donde parábamos, o incluso cuando el tren sólo disminuía la velocidad, me asomaba por detrás de su ordenador y preguntaba: *Please Rome, please Rome.* Pero debía existir un grave problema de comunicación entre nosotros, porque cuando yo decía *please Rome, please Rome,* respondía: *No rum, no rum,* porque yo *Rome* lo pronunciaba *rum.*

En un determinado momento, a fuerza de preguntar *please Rome, please Rome,* el señor gordo empezó a gritar, enfadado de verdad, furibundo: *No rum.* No. Basta. Se levantó y se fue. Temí que llamara a la policía. Pero, en vez de eso, pocos minutos después, volvió con una lata de Coca-Cola y me la puso delante. Dijo: *No rum.* Coca-Cola. *No rum. Drink. Drink.*

No entendí bien lo que había pasado, pero una Coca-Cola no se rechaza nunca, así que abrí la lata y me la bebí y pensé que, verdaderamente, era raro aquel tío, que primero se enfadaba y luego me regalaba una lata. ¿O no? Así, cuando llegamos a una nueva estación —yo me bebía mi lata de Coca-Cola—, me asomé, inocente, y dije: *Please Rome, please Rome.* Entonces me entendió. Dijo: Roma. No *rum.* Roma.

Dije que sí con la cabeza.

Con gestos me explicó que también él se dirigía a Roma y que la estación central —Termini, la llamó—, era la misma para los dos, y que podía estar tranquilo, porque era la última parada. Así que en Roma nos apeamos juntos. En el andén me estrechó la mano el señor gordo. Dijo: *Bye bye.* Yo respondí: *Bye bye.* Y nos separamos.

La plaza de la estación estaba abarrotada: coches, gente, autobuses. Di vueltas por todas las paradas buscando el número 175. Sabía que tenía que bajarme al final de la línea.

Había atardecido cuando llegué a Ostiense. Alrededor de mí había un montón de gente, de esa que vosotros llamáis *barboni,* vagabundos, y que yo llamo pobrecillos, pero ningún afgano. Después vi una fila larga de gente, contra un muro, y allí, allí sí, había afganos. Me puse en la cola con ellos. Me explicaron que esperaban para comer y que quienes repartían la comida eran frailes de un convento, y que, si lo pedías, te daban también mantas para dormir y cartones para hacerte el catre.

¿Tienes hambre?, preguntó un fraile, cuando me llegó el turno.

Imaginé lo que me estaba preguntando, y le dije que sí con el mentón. Me dieron dos bocadillos y dos manzanas, sí.


*¿Cómo se encuentra un sitio para crecer, Enaiat? ¿Cómo se le distingue de los otros?*

*Lo reconoces porque no sientes ganas de irte. No*

*porque sea perfecto. No existen los sitios perfectos. Pero
existen sitios donde, por lo menos, nadie intenta hacerte
daño.*

*Si no te hubieras quedado en Italia, si hubieras vuel-
to a partir, ¿adónde te habrías dirigido?*

*No sabría decirte. A París, quizá.*

*¿También en París existe un sitio como Ostiense?*

*Sí, creo que era un puente. Ahora no me acuerdo de
cuál, pero se llegaba en autobús. Incluso sabía el número del autobús. Ahora, por fortuna, lo he olvidado.*


Tenía doscientos euros en el bolsillo, ahorros de Grecia. Tenía que decidir pronto qué hacer, porque si
había que pagar un billete o algo por el estilo no podía esperar que aquel dinero me creciera en el bolsillo como una planta, ¿verdad? Son esos los momentos en los que llamas al futuro con extraños nombres,
y el mío —el nombre de mi futuro— era Payam.

De Payam, como ya he dicho, sabía que estaba en
Italia, pero no exactamente dónde, así que, visto que
en Italia vive un montón de gente, bueno, si quería
encontrarlo debía tomármelo en serio. Empecé a
buscarlo, les preguntaba a todos, y a fuerza de preguntar un día encontré a uno que me dijo que tenía
un amigo que ahora estaba en Inglaterra y que creía
que le había hablado de un chico que se llamaba así,
con quien había estado en un centro de acogida en
Crotone, en Calabria. Sí, podía ser otro Payam, dado
que para los nombres no hay exclusiva.

Llamamos a Londres a ese amigo, que había encontrado trabajo en un bar.

Tengo un número de teléfono móvil, si lo quieres, dijo.

Claro, respondí. ¿Sabes dónde vive?

En Turín.

Transcribí el número del móvil en un papel y marqué el número sin salir siquiera del locutorio.

¿Diga?

Sí, hola. Quisiera hablar con Payam.

Soy yo. ¿Quién habla?

Enaiatollah Akbari. De Nava.

Silencio.

¿Sí? ¿Sí?, dije.

Te oigo.

Soy Enaiatollah Akbari. De Nava.

Lo he entendido. Pero no es posible.

¿Eres tú, Payam?

Soy Payam, sí. ¿Eres de verdad Enaiatollah? ¿Desde dónde llamas?

Desde Roma.

No es posible.

¿Por qué no es posible?

¿Cómo has llegado a Italia?

¿Qué? ¿Cómo has llegado tú a Italia?

Payam no podía creerse que fuera yo. Me hizo preguntas a bocajarro sobre nuestro pueblo y sobre mis parientes y los suyos. Respondí a todo. Por fin dijo: ¿Qué piensas hacer?

No lo sé.

Entonces, dijo, ven a Turín, por lo pronto.

Nos despedimos y fui a la estación Termini a coger el tren. En esa ocasión, recuerdo, aprendí mi primera palabra italiana. Le pedí que me acompañara a un afgano que llevaba aquí desde hacía poco y hablaba bastante bien la lengua, para comprar el billete y no equivocarme de tren. Subió conmigo al vagón, miró alrededor, eligió a una señora que parecía amable y habló con ella. Dijo: *Deve scendere a Torino.* Tiene que bajarse en Turín. Bajar, *scendere,* dijo. ¿Sabes? *Scin* es una palabra iraní que significa «piedra». Se me quedó grabada y descubrí en la boca la capacidad de decir *scindere Torino, scindere Torino,* para que no hubiera más confusiones, como había pasado con *Rome.*

Durante el viaje la señora me preguntó si tenía el teléfono de alguien que pudiera ir a recogerme a la estación de Porta Nuova. Le di el número de Payam, ella lo llamó para ponerse de acuerdo; le dijo a qué hora llegábamos y adónde. Todo fue bien. En Turín, entre carros, equipajes y una comitiva de niños que volvían de una excursión, Payam y yo nos reconocimos con dificultad: la última vez que nos habíamos visto yo tenía nueve años (más o menos) y ahora tenía quince (más o menos); él, dos o tres más que yo, y nuestra lengua nos sonaba extranjera como no había sucedido nunca, entre nosotros, durante la infancia.


Me acompañó Payam a la oficina para menores extranjeros, sin ni siquiera darme tiempo a acostumbrarme a la forma de las casas o al fresco del aire (estábamos a mediados de septiembre). Me había preguntado inmediatamente —yo sentía todavía el calor de su abrazo en el pecho— cuáles eran mis intenciones, porque no podía estar indeciso mucho tiempo. La indecisión no es sana para quien no tiene permiso de residencia. Miré fuera de la cafetería en la que habíamos entrado a tomar un capuchino —conozco un sitio donde hacen los mejores capuchinos de la ciudad, había dicho— y pensé en esas dos personas, el chico de Venecia y la señora del tren de Turín, que tanto me habían agradado, las dos, tanto como para desear vivir en el mismo país en que vivían ellas. Si todos los italianos son así, pensé, creo que éste es un sitio en el que incluso podría quedarme. Estaba cansado, a decir verdad. Cansado de estar siempre de viaje. Así que le dije a Payam: Quiero quedarme en Italia. Y él dijo: Muy bien. Sonrió, pagó el capuchino, despidiéndose del camarero, a quien, al parecer, conocía, y nos dirigimos a pie a la oficina para menores extranjeros.

El sol se estaba poniendo y soplaba un viento fuerte que barría las calles. Cuando llegamos era tarde y la oficina estaba cerrando. Payam habló por mí y cuando la señora le explicó que no tenían sitio para mí en ninguna parte, en ninguna comunidad o algo por el estilo, y que tendría que arreglármelas por mi cuenta durante una semana, le pidió a la señora que esperara un momento, se volvió y me repitió palabra por palabra. Me encogí de hombros. Dimos las gracias y nos fuimos.

También él vivía en una comunidad. No podía alojarme.

Puedo dormir en un parque, dije.

No quiero que duermas en un parque, Enaiat. Tengo un amigo en un pueblo cerca de Turín, le pediré que te hospede. Payam llamó entonces a su amigo, que inmediatamente aceptó. Fuimos juntos a la estación de autobuses y Payam me dijo que no tenía que apearme hasta que viera a uno asomarse y decirme que lo siguiera. Así lo hice. Después de una hora de viaje, en una parada, en la puerta apareció la cabeza de un chico afgano. Me hizo una señal con la mano de que había llegado.

Fui a su casa, sí, pero tres días después —no sé bien qué pasó—, me salió con que lo sentía, que le pesaba, etcétera, pero que no podía alojarme más. Dijo que yo era un clandestino, aunque me hubiera presentado espontáneamente en la oficina de menores por mi propia voluntad, y que si la policía me encontraba en su casa corría el riesgo de perder la documentación.

Como es natural, le dije que estuviera tranquilo, que no quería causarle problemas. He dormido tanto tiempo en los parques, dije, que alguna otra noche no me hará daño, seguro.

Pero cuando Payam lo supo repitió: No, no quiero que duermas en el parque. Deja que llame a otra persona.

La persona era una italiana que trabajaba en los servicios sociales del ayuntamiento, Danila, y que como nosotros, creo, había intentado hablar con la oficina para menores extranjeros, pero por lo que parece, en serio, no había ni siquiera un trastero de las escobas donde meterme, así que ella —Danila— le dijo a Payam: Tráelo a mi casa.

Cuando nos vimos, Payam dijo: Te ofrece alojamiento una familia.

¿Una familia?, dije yo. ¿Qué quiere decir *una familia*?

Un padre, una madre, hijos, eso.

No quiero ir a una familia.

¿Por qué?

No sé cómo comportarme. No voy.

¿Por qué? ¿Cómo tienes que comportarte? Sólo tienes que ser amable.

Seguro que molesto.

No. Te lo aseguro. Los conozco bien.

Payam insistió hasta quedarse sin voz, como haría cualquiera con una persona a la que quiere o de la que se siente responsable. De dejarme solo, de noche, de saberme dormido encima de un banco, no quería ni oír hablar. Así que al final cedí. Más por él que por mí.


La familia vivía cerca de Turín, en una casa aislada, más allá de las colinas. Cuando bajé del coche —Danila había ido a esperarme a la parada de autobús— me rodearon tres perros, que entre todos los animales quizá sea mi preferido, y pensé: Me parece que aquí nos entendemos.

Marco era el padre, y de él, aunque es un padre, puedo pronunciar el nombre, no como el mío, al que he llamado sólo padre. Danila era la madre, y también de ella, y de los hijos, Matteo y Francesco, me apetece decir los nombres. No son nombres que me hagan sentir mal, al contrario.

En cuanto entré en la casa, me dieron una zapatillas grandes, en forma de conejo, con las orejas y la nariz y todo —a lo mejor lo hicieron por bromear— y después de lavarnos las manos cenamos en la mesa, con tenedores y cuchillos y vasos y servilletas, etcétera, y yo tenía tanto miedo de quedar mal que repetía cada uno de sus gestos, sin perder ni uno. Recuerdo que en la cena había también una abuela aquella noche. Estaba rígida, con la muñeca apoyada en la mesa, y yo hacía lo mismo, mantenía rígida la espalda y apoyaba la muñeca en la mesa y, visto que ella se limpiaba la boca después de cada bocado, también yo me limpiaba la boca después de cada bocado. Recuerdo que Danila había preparado unos entrantes, un primero y un segundo. Recuerdo que pensé: Madre mía, cuánto comen éstos.

Después de la cena me enseñaron un dormitorio: había una cama en el dormitorio, sólo una, y era toda mía. Danila salió, me trajo el pijama, dijo: Aquí tienes. Pero yo no sabía qué era un pijama. Estaba acostumbrado a dormir con la ropa que llevaba encima. Me quité los calcetines y los metí debajo de la cama. Cuando Danila me dio aquella ropa que era un pijama, también la metí debajo de la cama. Marco me trajo una toalla y un albornoz. Matteo quería que escuchara música, quería que oyera sus discos preferidos. Francesco se había vestido de indio —indio americano— y me llamaba para enseñarme sus juguetes. Todos querían decir algo. Pero yo no entendía nada.

Por la mañana, cuando me desperté, en casa sólo estaba Francesco, que era más pequeño que yo. Luego supe que estaba preocupado por mi presencia, se preguntaba: ¿Éste qué quiere? Pero yo, por la mañana, tenía miedo de salir del dormitorio y sólo bajé (era una habitación abuhardillada) cuando Francesco me llamó desde el fondo de las escaleras y dijo que, si quería, el desayuno estaba listo. Y era verdad. En la cocina, sobre la mesa, había galletas y flan y zumo de naranja. Espectacular. Espectacular aquel día. Espectaculares los días siguientes. Me hubiera quedado allí para siempre. Porque cuando te acoge alguien que te trata bien —pero con naturalidad, sin ser indiscreto— es normal que te entren ganas de que te sigan acogiendo. ¿O no?

El único problema era la lengua, pero, cuando me di cuenta de que a Danila y a Marco les gustaba oírme contar mi historia, empecé a hablar y a hablar y a hablar, en inglés y en afgano, con la boca y con las manos, con los ojos y con los objetos. ¿Comprenden o no comprenden?, me preguntaba. Paciencia, era la respuesta. Yo hablaba.


Hasta el día en que quedó libre un sitio en la comunidad.

Fui con mis propias piernas a la comunidad.

Habrá una señora iraní que te servirá de intérprete, me dijeron.

Bien. Gracias.

Es un sitio en el que puedes estar tranquilo, dijeron.

Bien. Gracias.

¿Quieres saber algo más?

Estudiar. Trabajo.

Ahora vas allí, después ya veremos.

Bien. Gracias.

Pero no había ninguna señora iraní. Me habían dicho que estaría tranquilo. Y yo, sí, yo podía estar tranquilo. Era el sitio el que no era tranquilo en absoluto. Gritos y peleas de todo tipo. Y luego, además, parecía una cárcel, más que una comunidad. En cuanto llegué, me requisaron el cinturón y el monedero con el poco dinero que tenía. Las puertas estaban cerradas por fuera, selladas. No se podía salir (e imagínate hasta qué punto yo estaba acostumbrado a la libertad, después de todos aquellos años de ir y venir). Por favor, lo apreciaba todo: era, desde luego, un sitio limpio y caliente, y para cenar había pasta y cosas así, pero quería trabajar o estudiar —mejor estudiar—, y en vez de eso pasaron dos meses, a mis pies, como una corriente de agua bajo una placa transparente, y durante dos meses permanecí sin hacer nada, sin hablar, dado que aún no conocía la lengua, a pesar de que intentaba estudiarla en los libros que me habían dado Marco y Danila. Los únicos entretenimientos eran ver la televisión, en silencio, y dormir y comer. En silencio.

No hacer nada no entraba en mis planes, y no podía recibir visitas, ni siquiera de la familia que me había acogido. Pero, de hecho, a los dos meses, Danila y Marco, bueno, se preocuparon y consiguieron que un educador —Sergio— que no sólo era un educador, sino también amigo suyo y una persona conocida en la comunidad, recibiera permiso para, el sábado por la tarde, llevarme a pasar el tiempo libre (que me sobraba) con los chicos de una asociación que se llama ASAI.

Sergio fue a buscarme, y aquel primer sábado resultó un día maravilloso. Cuando llegué, en la ASAI estaba Payam, que me cogió de la mano y, diciendo mi nombre y apellido, fue presentándome a todos. También estaba Danila. Así pude hablar con ella, y decirle que, gracias, gracias, pero que en aquel sitio no me encontraba demasiado bien, por esto y por aquello, que no había llegado hasta aquí para comer, dormir y ver los programas de la televisión. Quería estudiar y trabajar. Danila puso cara de estar pensando algo, y de que aquello en lo que pensaba era importante, pero en aquel momento, aunque parecía que tenía algo que decirme, no dijo nada. A la semana siguiente, sin embargo, cuando volví a la ASAI, se acercó, me llevó aparte y en voz baja, como si las palabras pesaran, me preguntó si me gustaría ir a vivir con ellos, pues espacio había, como yo había visto, y que si me gustaba ese espacio podían dármelo a mí. Respondí que no sólo me gustaría, sino que era, bueno, que era algo fantástico.

Así presentaron la solicitud. Un día, varios días después, el tiempo de tramitar el expediente, fueron a recogerme a la comunidad. Me explicaron que se trataba de una acogida. Me explicaron lo que significaba: que tenía una casa y una familia, es decir, tres perros, un dormitorio, e incluso un armario en el que meter la ropa.

Que nos querríamos, bueno, eso lo entendí solo.


Así empezó. Mi segunda vida, quiero decir. O, por lo menos, aquél fue el primer paso. Porque ahora que me habían acogido en casa de Marco y Danila, sí, en casa de Marco y Danila tenía que intentar quedarme, y quedarme significaba que no me expulsaran de Italia, y que no me expulsaran de Italia significaba conseguir el permiso de residencia como refugiado político.

El primer problema fue la lengua. Yo hablaba poquísimo italiano. Todos nos concentramos en que lo aprendiera mejor. Leía a duras penas los caracteres latinos, y siempre confundía el cero con la letra O. También la pronunciación era difícil.

Quizá sea mejor que hagas algún curso, dijo Danila.

¿Escuela?, pregunté yo.

Escuela, dijo ella.

Levanté el dedo para decir que estaba contento, me vino a la mente la escuela de Quetta, aquella a la que iba a oír a los niños jugar. Lleno de euforia, elegí tres cursos, porque temía que no fuera suficiente con uno. Salía así con Danila por la mañana, cuando ella iba a trabajar, a las ocho, luego daba una vuelta hasta las nueve y media. Asistía al primer curso en el CTP Parini. CTP significa Centro Territorial Permanente, una cosa que hay en Turín, sí, pero quizá también en otras ciudades, creo. Después, salía, iba a otra escuela, asistía al segundo curso, volvía a salir, llegaba a la ASAI, asistía a los cursos de italiano de la ASAI por la tarde, y, en ese momento, feliz y agotado, volvía a casa. Seis meses así. Mientras, mi amigo Payam seguía haciéndome de intérprete cuando no sabía arreglármelas solo, por ejemplo, en casa, cuando alguno tenía que decirme algo y yo no lo entendía, lo llamaban por teléfono y él traducía. Se dio el caso de que Danila lo llamara para saber qué quería cenar, aunque la comida no era en absoluto un problema para mí: bastaba que hubiera algo con qué llenar la panza.

En junio hice el examen final de primaria (aunque los profesores del CTP no querían, decían que era pronto, pero eso es por la cuestión del tiempo, que, en el mundo, no es igual en todas partes).

En septiembre me matriculé en secundaria, en una escuela para técnicos de los servicios sociales, e inmediatamente hice el ridículo. O sea, creo haberlo hecho, porque algunas veces no me doy cuenta cuando pasa algo divertido o extraño, pues si me diera cuenta evitaría que pasara, y evitaría sentir que me toman el pelo, etcétera. Resulta que la profesora de higiene me saca a la pizarra y me pide que haga algo, no me acuerdo, algo que tenía que ver con la química, cálculos, pero en lugar de números había letras o qué sé yo. Dije que no entendía nada. Me lo explicó, pero volví a decir que no lo entendía, ni siquiera su explicación.

Entonces me preguntó: ¿Pero qué has estudiado en la escuela?

Le dije que no había ido a la escuela.

Ella dijo: ¿Cómo?

Le dije que había estudiado seis meses italiano y que luego había hecho el examen de primaria por libre, eso era todo.

Ella dijo: ¿Y antes?

Dije que antes no había hecho nada, que sí, que había ido a la escuela en Afganistán, en mi pueblo, con mi maestro, que ya no vivía, y nada más.

Se puso muy nerviosa. Fue a la directora a quejarse y por un momento tuve miedo de que me echaran de la escuela, lo que para mí habría sido un drama, dado que la escuela era lo único que me interesaba. Por fortuna intervino otra profesora que dijo que había que tener paciencia, que iríamos paso a paso, que higiene y psicología podían esperar, y que daríamos prioridad a otras materias. Así, visto que en mi escuela había un chico un poco discapacitado, y que tenía un profesor de apoyo, mientras que yo no, durante algunos meses aproveché la ocasión, y en las horas de higiene y psicología salía de clase y estudiaba con él.

*La lengua, Enaiat. Mientras hablas y cuentas pienso que no estás usando la lengua que aprendiste de tu madre. En la escuela nocturna, ahora, estudias historia, ciencias, matemáticas, geografía, y estudias esas materias en una lengua que no es la que aprendiste de tu madre. Los nombres de las comidas no están en la lengua que aprendiste de tu madre. Bromeas con los amigos en una lengua que no aprendiste de tu madre. Te harás hombre en una lengua que no aprendiste de tu madre. Te has comprado el primer coche en una lengua que no aprendiste de tu madre. Cuando estás cansado, descansas en una lengua que no aprendiste de tu madre. Cuando ríes, ríes en una lengua que no aprendiste de tu madre. Cuando sueñas, no sé en qué lengua sueñas. Pero sé, Enaiat, que amarás en una lengua que no aprendiste de tu madre.*

Recuerdo que el primer año me fue mal con mis compañeros, porque me gustaba bastante ir a la escuela. Para mí era un privilegio. Estudiaba mucho y si sacaba una mala nota iba enseguida al profesor a decir que quería recuperar y a los demás les fastidiaba un montón, e incluso los que eran más pequeños que yo me llamaban empollón.

Luego todo fue mejor. Hice amigos. Aprendí muchas cosas que me obligaron a mirar la vida con otros ojos, como cuando te pones unas gafas de sol con los cristales de colores. Cuando estudiaba higiene me dejaba pasmado lo que me decían, porque lo comparaba con mi pasado, con las condiciones en las que había vivido, con la comida que había comido, etcétera: me pregunté cómo era posible que todavía estuviera íntegro.

Estaba a finales del segundo curso cuando llegó una carta a casa, diciendo que debía presentarme en Roma ante la comisión que determinaría si podía obtener el permiso de residencia como refugiado político. Esperaba aquella carta. La esperaba porque en el CTP Parini había conocido a un chico afgano que había llegado a Italia poco antes que yo y que tenía una historia muy parecida a la mía. Así todo lo que le sucedía a él, bueno, poco después también me sucedía a mí, como ser citado para la documentación y cosas por el estilo. Él había recibido la carta algunos meses antes, había ido a Roma, se había presentado ante la comisión y la respuesta había sido: nada de refugiado político. Recuerdo su desesperación cuando volvió a casa y me lo dijo. Yo no podía entenderlo. ¿Por qué no se lo habían concedido? Si no se lo habían concedido a él, tampoco me lo concederían a mí. Recuerdo que se cogía la cabeza entre las manos, mi amigo, llorando, pero sin lágrimas, llorando con la voz y con los hombros, y decía: ¿Dónde puedo ir ahora?

Un día tomé el tren con Marco y Danila e hice en sentido contrario el camino que había hecho para llegar desde Roma a Turín. Nos presentamos puntuales en el edificio aquél, en una zona que ahora no recuerdo, esperamos un poco, luego me llamaron, dijeron mi nombre, que resonó en todo el corredor. Marco y Danila se quedaron allí. Yo entré.

Siéntate, me dijeron.

Me senté.

Ése es tu intérprete, dijeron, señalando a un chico que estaba junto a la puerta.

Dije que preferiría no contar con él. Gracias.

Así que hablas bien italiano, dijeron.

Respondí que sí, lo hablaba bastante bien. Pero no era sólo eso. Si hablas directamente con las personas transmites una emoción más intensa, aunque las palabras resulten inseguras y la cadencia sea distinta; en cualquier caso, el mensaje que llega se parece más a lo que tienes en la cabeza, respecto a lo que podría repetir un intérprete —¿o no?— porque de los labios del intérprete no salen emociones, salen palabras, y las palabras sólo son una cáscara. Hablamos durante cuarenta y cinco minutos. Conté todo, cada cosa. Hablé de Nava, de mi padre y mi madre, del viaje, del tiempo que llevaba durmiendo en casa de Marco y Danila, y de las pesadillas que agitaban mis noches, casi como el viento había agitado el mar entre Turquía y Grecia, y de cómo en aquellas pesadillas huía y, al huir, me caía de la cama muchas veces, o me levantaba, cogía la manta, me envolvía los hombros, bajaba las escaleras, abría la puerta del patio y me iba a dormir al coche, y todo eso sin darme cuenta, o doblaba la ropa, ordenada, la ponía en un extremo y me echaba en el baño, en un rincón. Conté que buscaba siempre los rincones para dormir. Era —¿cómo se dice?— sonámbulo. Conté todo esto y, en un determinado momento, el comisario me dijo que no entendía porqué me declaraba refugiado político si en Afganistán no había, en el fondo, una situación tan peligrosa para los afganos; que perfectamente podría haberme quedado en mi casa.

Entonces saqué el periódico. Era un diario de pocos días antes. Le señalé un artículo.

El titular era: «Afganistán, niño talibán degüella a un espía».

El periodista contaba la historia de un chiquillo sin nombre que había sido tomado por las cámaras de televisión mientras cortaba la garganta de un prisionero al grito de *Allah Akbar*. La secuencia había sido difundida por la propaganda talibán en la zona de la frontera paquistaní. En el vídeo se veía al prisionero, un hombre afgano, admitir sus culpas ante un grupo de militantes, entre los que había muchos adolescentes. Entonces, la palabra pasaba al verdugo, verdaderamente un chiquillo, pequeñísimo, con una guerrera de camuflaje de varias tallas de más. Es un espía americano, decía el chiquillo armado con el cuchillón y dirigiéndose a la cámara. Gente así merece la muerte. En ese momento un talibán levantaba la barba del condenado mientras todos gritaban *Allah Akbar, Allah Akbar,* Dios es grande, y el chiquillo hundía la hoja y degollaba al hombre.

Señalé el artículo. Dije: Podría haber sido yo ese chiquillo.


Que el permiso de residencia como refugiado político me había sido concedido, bueno, me lo dijeron algunos días después.


Fue en tercero de secundaria cuando pensé que había llegado el momento de intentar ponerme en contacto con mi madre. Podría, incluso, haberla buscado antes, pero sólo después de haber obtenido el permiso de residencia, sólo después de haber recuperado hasta el fondo del tonel la serenidad necesaria, volví a pensar en ella, en mi hermano y en mi hermana. Los había borrado de mi memoria durante mucho tiempo. Y no por maldad ni nada parecido, sino porque antes de ocuparte de los demás tienes que encontrar la manera de estar bien contigo mismo. ¿Cómo puedes dar amor, si no amas tu vida? Cuando entendí que en Italia estaba realmente bien llamé a uno de mis amigos afganos de Qom, uno que tenía el padre en Pakistán, en Quetta, y le pregunté si era posible, según él, que su padre intentará ponerse en contacto con mi familia, en Afganistán.

Dije: Si tu padre consigue encontrar a mi madre, a mi hermano y a mi hermana, yo podría pagarle por las molestias y le daría el dinero suficiente para que llevara a los tres a Quetta. Le expliqué también cómo encontrarlos, dónde vivían y todas esas cosas. Mi amigo, en Irán, dijo: Para mí es difícil explicar todo eso. Te doy el número de teléfono de mi tío y de mi padre. Los llamas a Pakistán y se lo explicas tú. ¿Vale?

Entonces llamé a su padre, que fue amabilísimo. Dijo que no pensara en el dinero. Que si estaban en Afganistán, en ese pequeño valle, y no sabían si yo estaba vivo o muerto, como no sabía yo si ellos estaban vivos o muertos, bueno, para él ir a buscarlos era un deber.

Le respondí que le pagaría lo mismo el viaje y los gastos, aunque para él fuera un deber, porque el sentido del deber es bueno, pero también el dinero es importante. Y además era un viaje peligroso el que iba a emprender. En una zona de guerra.

Pasó algún tiempo. Casi había perdido las esperanzas. Luego, una noche, recibí una llamada telefónica. La voz ronca del padre de mi amigo me saludó: parecía muy cerca. Me contó que había sido difícil encontrarlos, porque se habían ido de Nava y se habían trasladado a un pueblo al otro lado del valle, pero que por fin lo había conseguido, y que cuando le explicó a mi madre que era yo el que había pedido que se trasladaran a Quetta, bueno, ella no lo había creído y no quería irse. Le costó trabajo convencerla.

Luego dijo: Espera. Quería ponerme con alguien al teléfono. Y se me llenaron los ojos de lágrimas, porque había entendido quién era ese alguien.

Dije: Mamá.

Del otro lado del teléfono no llegó ninguna respuesta.

Repetí: Mamá.

Y del auricular salió sólo una respiración, pero leve, y húmeda, y salada. Entonces comprendí que ella también estaba llorando. Nos hablábamos por primera vez desde hacía ocho años, ocho, y aquella sal y aquellos suspiros eran todo lo que un hijo y una madre pueden decirse, después de tanto tiempo. Nos quedamos así, en silencio, hasta que la comunicación se interrumpió.

En ese momento supe que aún estaba viva y quizá, ahí, me di cuenta por primera vez de que también lo estaba yo.

No sé bien cómo. Pero también lo estaba yo.

*Enaiatollah acabó de contar su historia poco después de haber cumplido veintiún años (más o menos). La fecha de su cumpleaños la decidió la jefatura de policía: el 1 de septiembre. Apenas acaba de descubrir que en el mar hay de verdad cocodrilos.*

## DESTINO

**España**
Av. Diagonal, 662-664
08034 Barcelona (España)
Tel. (34) 93 492 80 00
Fax (34) 93 492 85 65
Mail: info@planetaint.com
*www.planeta.es*

Paseo Recoletos, 4, 3.ª planta
28001 Madrid (España)
Tel. (34) 91 423 03 00
Fax (34) 91 423 03 25
Mail: info@planetaint.com
*www.planeta.es*

**Argentina**
Av. Independencia, 1668
C1100 Buenos Aires
(Argentina)
Tel. (5411) 4124 91 00
Fax (5411) 4124 91 90
Mail: info@eplaneta.com.ar
*www.editorialplaneta.com.ar*

**Brasil**
Av. Francisco Matarazzo,
1500, 3.º andar, Conj. 32
Edificio New York
05001-100 São Paulo (Brasil)
Tel. (5511) 3087 88 88
Fax (5511) 3087 88 90
Mail: ventas@editoraplaneta.com.br
www.editoriaplaneta.com.br

**Chile**
Av. 11 de Septiembre, 2353, piso 16
Torre San Ramón, Providencia
Santiago (Chile)
Tel. Gerencia (562) 652 29 43
Fax (562) 652 29 12
*www.planeta.cl*

**Colombia**
Calle 73, 7-60, pisos 7 al 11
Bogotá, D.C. (Colombia)
Tel. (571) 607 99 97
Fax (571) 607 99 76
Mail: info@planeta.com.co
*www.editorialplaneta.com.co*

**Ecuador**
Whymper, N27-166,
y Francisco de Orellana
Quito (Ecuador)
Tel. (5932) 290 89 99
Fax (5932) 250 72 34
Mail: planeta@access.net.ec

**México**
Masaryk 111, piso 2.º
Colonia Chapultepec Morales
Delegación Miguel Hidalgo 11560
México, D.F. (México)
Tel. (52) 55 3000 62 00
Fax (52) 55 5002 91 54
Mail: info@planeta.com.mx
*www.editorialplaneta.com.mx*
*www.planeta.com.mx*

**Perú**
Av. Santa Cruz, 244
San Isidro, Lima (Perú)
Tel. (511) 440 98 98
Fax (511) 422 46 50
Mail: rrosales@eplaneta.com.pe

**Portugal**
Planeta Manuscrito
Rua do Loreto, 16-1.º Frte.
1200-242 Lisboa (Portugal)
Tel. (351) 21 370 43061
Fax (351) 21 370 43061

**Uruguay**
Cuareim, 1647
11100 Montevideo (Uruguay)
Tel. (5982) 901 40 26
Fax (5982) 902 25 50
Mail: info@planeta.com.uy
*www.editorialplaneta.com.uy*

**Venezuela**
Final Av. Libertador con calle Alameda,
Edificio Exa, piso 3.º, of. 301
El Rosal Chacao, Caracas (Venezuela)
Tel. (58212) 952 35 33
Fax (58212) 953 05 29
Mail: info@planeta.com.ve
*www.editorialplaneta.com.ve*

Grupo ⊕ Planeta     Destino es un sello editorial del Grupo Planeta   www.planeta.es